Mario Prata

Minhas Mulheres e Meus Homens

OBJETIVA

Haickel, Jonas Bloch, Jorge Amado, Jorge Bem, Jorge Cabral, José Agripino de Paula, José Álv
Moisés, José Carlos da Matta Machado, José de Anchieta, José Eduardo de Lima Barbosa,
Fernandes, José Gregori, José Lins do Rêgo, José Luiz Franchini Ribeiro, José Márcio Penido,
Maria Prata, José Oscar Beozzo, José Roberto, José Rubens Siqueira, José Vicente, José Wil
ulinho da Adelaide, Juscelino, Karina Almeida, Kumono, Laís, Lanny Dale, Laurinha de Mel
ousa, Laurival de Arruda Camargo, Lauro Cesar Muniz, Léa Maria, Leco Góes, Leduscha, L
Diniz, Leilah Assumpção, Leivinha, Leonardo Ramos, Leonel Prata, Lia Beozzo, Lygia Rosa Cam
de Carvalho, Lima Duarte, Loli, Lolô, Lorenzo, Luana Dias Gomes, Lucélia Santos, Lúcia Go
úcia do Henfil, Luciana De Francesco, Luciana Castro Cunha, Lucila Volasco, Lucy de Mora
Castro, Lugoma, Luiz Ambrósio, Luiz Buñuel, Luiz Carlos Cabral, Luiz Carlos da Santa Casa,
Carlos Maciel, Luiz Carlos Paraná, Luiz Fernando Carvalho, Luizinho Prudêncio, Luli, Lulu G
Luluzinha, Lurdinha Santos, Machado de Assis, Madalena Prata Soares, Magdala Stella Bar
Maiá Prado, Maiara Magri, Maída, Maidinha, Maitê Proença, Mana Beozzo, Manezin
Manoel Fiel Filho, Manolo, Manuel Castanho, Manuel de Oliveira Prata, Manuela-Angél
Carolina, Marcel Marceau, Marcelo von Zuben, Marcos Rey, Marcos Vasconcellos, Maria A
Rufino, Maria Amélia Cesário Alvim Buarque de Hollanda, Maria Emília Bender, Maria Est
Stockler, Maria Eugênia Vanzolini, Maria Helena Amaral, Maria Helena Grembecki, Ma
gnês Criativa, Maria Isabel de Lizandra, Maria Lúcia Dahl, Maria Lucia Segall, Maria L
Pires de Albuquerque, Maria Millan, Maria Prata, Maria Regina, Maria Rita Khel, Ma
Shirts, Mariana Dinamarquesa, Mariel Bravo, Mariel Mariscote, Marieta Severo, Mar
Gabriela, Marília Pera, Marina Maluf, Marinho Perez, Marinho Perez Junior, Mario Alb
de Almeida, Mario Braga Goés, Mário Edson, Mario Góes, Mario Lago, Mario Moraes e Cas
Mário Prata, Mario Quintana, Marisa Antonia Pelegrino dos Santos, Marjorie Guel
Marlon Brando, Marly Marley, Marta Alencar, Marta Garcia, Marta Góes, Marta Sup
Mateus Shirts, Matogrosso, Maura de Tal, Maurilo Moraes e Castro, Mayra Dias Gomes, Ma
Matarazzo, Mazé Perez, Meia Noite, Melchíades Cunha Junior, Miguel Góes, Mika Lins, Mi
Fernandes, Minduim, Miúcha, Monteiro Lobato, Moreno, Muntinvaca, Natália, Na
Nelsinho Motta Mello, Nelson Rodrigues, Nem Te Ligo, Nequinha Matador, Nídia Ba
Nirlando Beirão, Norival Rizzo, Olavo Martins, Olívia Góes, Onze e Meia, Orestes Quér
Oscar Klabin Segall, Oswaldo Gabrieli, Othon Bastos, Palito, Palma Donato, Pato, Patr
Prata, Paula Prandini, Paulinho Henrique Cardoso, Paulo Caruso, Paulo Mendes Campos, Pa
Pontes, Paulo Salim Maluf, Paulo Sousa, Paulo Vanzolini, Pedro Cometti, Pedro K. Sant'An
Pelé, Pena Branca, Perereca, Pink Wainer, Piriga, Plínio Marcos, Pouca Sombra. Quase-Hom
Quase-Lindo, Quinze-Pra-Meia-Noite, Quita Prata, Raimunda Cunha Campos, Ramiro Vie
Raul Cortez, Reali Junior, Regina Braga, Regina Duarte, Regina Vieira, Reinaldo Mor
Renata Kupidlovski, Renato Aragão, Ricardo Othake, Ricardo Prata Soares, Richard, Riqui
Rita Cunha Campos, Rita Prata de Lima Barbosa, Ritinha Morais, Roberta Diva, Rob
Belangero, Roberto Lage, Rodrigo Santiago, Ronaldão, Rosa Gaúcha, Rosana Augusta D
Rosa Castanho, Rubem Braga, Rubem Fonseca, Rubén Castillo, Ruth Cardoso, Ruth Escobar,
Mariano Góes, Ruy Affonso, Ruy Fontana Lopes, Ruy Guerra, Sábato Magaldi, Samir
Meserani, Samuca Wainer, Samuel Wainer, Sandra Abdalla, Sarita de Andrade, Sarita Mon
Sérgio Antunes, Sérgio Buarque de Hollanda, Sérgio D'Antino, Sérgio Junqueira, Sérgio Mamb
Sérgio Paranhos Fleury, Sérgio Porto, Sérgio Santos, Sergito Buarque de Hollanda, Severo Go
Shakespeare, Silvana Rando, Silvia Campolim, Silvinha Buarque, Sócrates, Sônia Braga, St
Florence, Stella Rizzo, Suzana Prado, Suzana Vieira, Suzaninha de Tal, Tái Castilho, T
Millan, Tarso de Castro, Telêmaco Pompeu, Tenório de Oliveira Lima, Teresa Collor,
uriti, Ticá Beozzo, Ticha Gregori, Tom Jobim, Tomás de Aquino Prata, Tonho Táxista, T
Carrero, Toquinho, Tuna Dwek, Vadão, Valéria, Valéria Garcia, Valéria Prata, Vânia
Fátima Marins Paolillo, Vavá, Vicente de Paula Prata, Vicente Moreno Lima, Viníciu
Moraes, Visgo, Vivien Mahr, Vovó Maria, Waldemar de Brito, Walminho Galvão, Wa
Marques, Walmor Chagas, Walter Arruda, Walter Avancini, Walter Pinto, Wilma, Wlad
Wladimir Herzog, Wladimir Soares, Yara Prata, Zé Branco, Zélia Beozzo, Zélia Cardos
Mello, Zélia Cavalcanti, Ziraldo, Zózimo Barroso do Amaral, Zuleika Alvim, Zulmira Ga

Mario Prata

Minhas Mulheres e Meus Homens

Objetiva

EDITORA OBJETIVA LTDA.,
rua Cosme Velho 103
Rio de Janeiro – RJ – CEP 22241-090
Tel.: (021) 556-7824 – Fax: (021) 556-3322
INTERNET: http:\\www.objetiva.com

Capa: Silvana Mattievich
Foto do autor: Luciana De Francesco
Projeto gráfico: Didiana Prata
Editoração: FA Editoração Eletrônica

Revisão: Teresa da Rocha
Fátima Fadel

1999

Obrigado ao meu pai Alberto Prata Júnior
e meus tios:
tio Padre,
Hugo Prata,
Vicente de Paula Prata
e o Bipe,
por me ensinarem a contar casos.

PREFÁCIO

Saber que a agenda telefônica do Mario Prata ia virar livro estimulou algumas paranóias:

— Agora é tarde. A situação ridícula que ele testemunhou, aquela gafe que você negava já estão impressas. E o que é pior, todo mundo vai saber, porque os livros do Prata vendem muito.

Os vaidosos animaram-se:

— Aquela sacada brilhante, que ele adorou, e o meu gesto de desprendimento finalmente vão ser reconhecidos.

Mas, como na prática todo mundo quer sair bem na foto, com o passar do tempo a curiosidade corroeu as seguranças.

— O Prata mostrou seu verbete? Não comentou nada sobre o meu? — perguntou-se muito nesses últimos tempos.

Os contemplados com consultas prévias tripudiaram:

— Para mim ele mandou o texto. Não mandou para você?!

Confesso que também fiquei desconfortável. *Minhas mulheres e meus homens* é um título alarmista para uma ex-mulher, não? Mas a aflição passou quando recebi o livro inteiro, ainda nas provas, e a encomenda de um prefácio. E a essa altura, todos já se acalmaram ou se desesperaram de vez, porque, otimista ou paranóico, a primeira coisa que você fez aqui foi procurar o seu nome no índice. Ou vai dizer que resistiu?

Este livro, ensina o autor, pode ser lido em ordem alfabética, em ordem cronológica ou, ainda, pela seqüência dos nomes que um verbete remete para o outro. Pode ser lido assim e de infinitas maneiras, que cada leitor inventará de acordo com as suas próprias perguntas. O *voyeur* vai pular de famoso em famoso, em busca de bastidores — e não vai se frustrar. O enturmado vai querer descobrir depressa quem entre seus conhecidos virou verbete. E o leitor tranqüilo, que deseja apenas boas histórias — é isso, afinal, o que oferecem os bons escritores —, vai se deliciar com 748.

É provável que exista para todos um prazer extra: identificar um pouco de sua própria vida misturada aos nomes que conhecem ou de que apenas ouviram falar, a lugares que também freqüentaram e a acontecimentos dessas décadas que todos nós vivemos.

Os leitores perceberão ainda, no conjunto variado desses verbetes, a biografia do autor. É a história de um menino do interior que chegou a São Paulo tão assustado que esqueceu no táxi a mala com as roupas novinhas que a mãe tinha preparado. É a história de um escritor que premia seus leitores com a delícia do riso e com a bênção da beleza (preste atenção no jeito como ele conta que alguém morreu). É a história de um homem que enriqueceu a vida de tantos encontros, com tantas pessoas, que ao passar os olhos pela agenda de telefones compreendeu, satisfeito, que sua história dá muitos, muitos livros.

MARTA GÓES

BULA

Primeira

Segunda

Terceira

Quarta

Você pode ler este livro de quatro maneiras:

Em **ordem alfabética**, como está.

Em ordem alfabética, mas sabendo que, sempre que encontrar um nome em **negrito**, pode pular para lá. Exemplo: de Abê, você vai para Zuleika, de Zuleika, você vai para Dado, de Dado para Ticá, *ad nauseam*.

Em **ordem cronológica**. No final do livro, existe este índice.

No **banheiro**, abrindo onde abrir.

Se eu fosse você, lia na ordem cronológica.

A-C

ÍNDICE

F-J

M-R

A

ABÊ, estudante (São Paulo, 1970)

"Fazia frio. Ventava. No meio das árvores, uma lua mostrava o caminho. O porvir estava começando."

Às sete da manhã eu tinha que estar no Banco do Brasil, lá na Penha. Alguma vez você já teve que estar às sete da manhã na Penha? Trabalhava no cadastro.

Eram três da manhã e era nisso que eu pensava. A madrugada estava muito fria. Eu e o Abê atravessávamos a praça da República. Eu fazia economia e ele física. Os dois na USP. Ele era mais velho um ano. Alto, muito alto. A gente caminhava em silêncio. Os hippies começavam a instalar suas barracas. Cheiro de maconha.

— Estou com medo, eu disse.

— *Fica na sua. Estou armado.*

O medo e o frio aumentaram na minha barriga.

Nós havíamos saído do Copan, do apê do Benetazzo. Tínhamos 100 mil marcos alemães no bolso. Depois de uma demorada reunião na casa do Benê e da **Zuleika**, chegaram à conclusão que a missão era pra mim e pra ele. Nós dois tínhamos carteira assinada.

Z **Zuleika**
1968
estudante
São Paulo
pág. 244

A missão: ir até uma garagem na rua Vitória resgatar o jipe Candango do Benetazzo.

A história: o Benetazzo e outros companheiros haviam assaltado um banco dois dias antes. E, por mais incrível que pareça, usaram o velho jipe. E, pior, depois deixaram estacionado na frente do Copan.

O jipe foi roubado no dia seguinte por ladrões comuns. Leram no jornal sobre o assalto e estava lá a foto do jipe. Daí a chantagem. O jornal dizia que além de cruzeiros novos, foram levados marcos. Os bandidos queriam os marcos. Ou entregavam tudo. Endereço, telefone, faculdade.

Chegamos na porta de ferro do estacionamento e o Abê deu umas batidinhas sincronizadas.

— *É o código,* me disse, com ar de agente 86.

A enorme porta rangeu e se abriu como num filme policial. Lá no fundo escuro, uma lanterna nos apontava o caminho. Apenas mais um sujeito com cara de tira e o Candango.

A

Não houve muito diálogo. Dei o dinheiro, ele contou, apontou o carro com a lanterna. A chave estava na partida. Minha perna tremia, queria sumir dali. O Abê percebeu e foi dirigindo.

Às sete da manhã eu estava batendo carimbos.

AÇUCAREIRO (Anselmo Valverde Matos), engenheiro (Lins, 1998)

Minha adolescência em Lins era rodeada de apelidos. Além de Didi, Vavá, Bebé, simples mexidelas nos nomes, havia uns inesquecíveis.

Outro dia me reencontrei com o Açucareiro. Por causa das orelhas de abano. O **Mateus Shirts**, meu amigo brasilianista, estava junto. Disse que nunca tinha visto nada mais notável. Desde pequeno que ele é Açucareiro. Hoje, um açucareiro mais velho, mais usado, mas sempre o meu querido Açucareiro.

Mateus M
1985
brasilianista
São Paulo
pág. 170

O Amarelo cresceu, o cabelo escureceu e virou Carlos Augusto mesmo. Mas o Anta continua mais anta do que nunca. Nada a ver com razão que a própria inteligência desconhece. Mas que ele tem corpo de anta, tem.

Era um mecânico genial. Inventou aquela antena de carro que sobe sozinha. Veio para São Paulo para patentear. Na frente de um hotel, um carro americano com a tal antena. Pirou. Virou Antena.

O Bisurdo, que só fazia coisas absurdas. Ainda na letra b, o Boi, o Bolinha, o **Boca** e o Bola Sete. E o Bolsão, louco meio nervoso que catava tudo na rua e colocava no bolso. E ai de quem o chamasse de Bolsão. Já morreu, louco. E tinha um padre que, sei lá por que, era o Bosteiro. Que implicava muito com o Burguês, hoje remediado.

Boca B
1995
fazendeiro
Lins
pág. 40

O **Cabelinho** tinha um topete. Hoje, mais de 50, quase careca, mas o topete firme. O Cabelinho era amigo do Canário, loiro que nunca cantou. E aquele magro que fazia, por correspondência, os exercícios do Charles Atlas, virou Charles pra sempre.

Cabelinho C
1955
estudante
Lins
pág. 43

E o Chato Grande, que fazia jus ao nome? O maior inimigo do Chato Grande era o Pato. O Chato Grande não deixava o Pato namorar a irmã dele. Uma madrugada o Pato encheu a cidade com dizeres: a 100 metros, Chato Grande, a 20 metros, Chato Grande e, no muro da casa, aqui, Chato Grande. O Chato Grande mandou pintar tudo. No dia seguinte: aqui, breve, Chato Grande. Um dia o **Gutão** foi pedir licença para ele e, cheio de medos: com licença, seu Chato? O Chato Grande, me informa o Minduim, hoje é bispo da Igreja Universal, em Campo Grande. Diz que chora e tudo.

Tinha aquele manco de nascença. Coitado, era o Dá-Pé-Não-Dá-Pé, vulgo Dapé. O Fenemê desde pequeno, pois era um touro. E tinha outro padre, grande, forte. Era o Jipão.

Tinha duas biscates na cidade. Moças que davam. Eram horrorosas, as duas. Seus nomes: Beleza e Lindeza. E por falar em mulher bonita, tinha a minha querida **Luluzinha**, miss Lins, miss São Paulo e miss Brasil, minha primeira namorada e hoje sai nas colunas com o nome de Maria Lúcia Segall e continua linda, charmosa e cativante.

Era forte, muito forte, o Mato-Grosso. Já o Carioca era bicha.

Tinha uma família rica que adotou um crioulinho (hoje famoso cirurgião). O apelido dele era Meia-Noite, vulgo Meia. Aí veio um outro crioulo para estudar odontologia. Mais clarinho. Era o Quinze-Pra-Meia-Noite, vulgo Quinze. E não é que, depois, ainda apareceu o Onze-e-Meia, popular Onze?

Meu querido dentista Sérgio Junqueira sempre foi e sempre será o Minduim. Cara dum, molar do outro.

O Augusto veio do Mato Grosso e tinha as pernas arqueadas. Virou Muntinvaca. Atendia por Munti. A tia da namorada dele não tinha pescoço. Era uma moça muito simpática e dançarina a Nem-te-Ligo.

Magro, muito magro, o Palito.

Baixo, muito baixo, o Pouca-Sombra.

Feio, muito feio, o Quase-Lindo.

Bicha, muito bicha, o Quase-Homem.

E o Visgo?, uma espécie de Madame Satã de Lins. Violentíssimo, brigava por nada, só para ser preso e passar uns dias na cadeia. Seu lema: não bate que eu gamo!

A

G **Gutão**
1978
dentista
Munique
pág. 95

L **Luluzinha**
1960
miss
Brasil
Lins
pág. 152

A

José Márcio
1973
jornalista
Rio
pág. 118

Z

ADERBAL FREIRE-FILHO, diretor de teatro (Rio, 1973)

Estava um calor danado no Rio de Janeiro. Éramos eu, ele (chegado há pouco do Ceará), a mulher dele, Alice, o **Zé Márcio** e o Ivan Setta, depois da sessão da minha peça *Cordão Umbilical*, primeira direção profissional do Aderbal. Fomos tomar umas, naqueles bares em frente à Galeria Alaska, na praia de Copacabana.

Devia ser o que, duas da manhã? De repente, começou o tiroteio. Correria, cadeiras e mesas viradas. Tiros, muitos tiros. Todo mundo correu para se proteger. Eu, quando percebi, estava debaixo do jipe do Aderbal. O Ivan, completamente embriagado, atravessava a linha de fogo, gozando:

— Isso é tiro de festim, gente!

Quando pararam os tiros, que não eram de festim, todo mundo foi saindo das tocaias. Um corpo estava estendido no chão, em frente ao Siri. Três homens de terno cinza corriam em direção à praia. Pegaram um táxi e sumiram.

O homem morto estava de bermuda. Um tiro na têmpora direita. Uma mulher, uma loira oxigenada, gritava desesperada. Era a namorada dele.

Ali, no chão de Copacabana, estava um homem forte ainda forte. Um dos maiores machos do futebol brasileiro. Ali, nos meus pés, estava o Almir, o Pernambuquinho, um dos mais lendários jogadores de futebol do Brasil. Campeão mundial interclubes, defendendo aquele imbatível time do Santos de Pelé, em 62.

A Alice pegou uma toalha de mesa e cobriu o corpo. Debaixo de um coqueirinho estava outro corpo. Era o amigo do Almir. Ainda respirava.

Dezenas, centenas de bichas da Galeria Alaska gritavam histéricas. Chegou a polícia. E a história foi contada.

Almir, o amigo e as duas namoradas bebiam chope numa mesa. Na mesa da frente estavam Lanny Dale e os Dzi Croquetes, genial grupo de dança que agitou o Brasil nos anos 70 e Paris nos 80. Eram *gays*. Estavam ainda meio cheios de purpurinas, saindo do show na Galeria.

Na mesa atrás do Almir havia três portugueses que começaram a agredir os dançarinos, chamando de paneleiros, viados. Aquelas coisas. Pois não é que o Almir saiu em defesa dos rapazes?

Ninguém poderia jamais imaginar que aquele homem estendido ali no chão, que uma vez bateu num time inteiro no Maracanã, fosse morrer daquele jeito. Defendendo aquela turma.

A

ADOLFO BLOCH, dono de televisão (Rio, 1987)

Eu estava ainda negociando com o **Wilker** se fazia ou não a adaptação de *Helena* para a Manchete, quando o seu Adolfo entrou na sala.

J **José Wilker** 1986 ator e escritor Rio **pág. 123**

Era a primeira vez que eu via aquele homem que não tinha sala na própria empresa. Ficava indo de sala em sala, ao contrário de qualquer lugar, onde os funcionários deveriam ir na sala do patrão. Outra maluquice: não podia ter bolsa em cima das mesas. Ele chegava e ia jogando no chão.

Entrou, jogou a minha e fomos apresentados. A primeira frase que me falou:

— *E então? O irmão da Helena vai fuder com ela ou não vai?*

É, ele estava por dentro da novela que ia produzir.

Meses depois, a novela já no ar, ele se senta ao meu lado, e pergunta baixinho:

— *Você é parente do Alexandre Cunha Campos, de Uberaba?*

Nem perguntei como ele sabia daquilo, mas confirmei. O tio Alexandre era irmão do meu bisavô materno. Tinha morrido há uns 30 anos.

— *Aquele filho da puta uma vez me pediu 500 contos de réis para fazer uma rede de farmácias na Mogiana. Nunca me pagou, o filho da puta. Tá vivo?*

— Não senhor.

— *Vem cá.*

Me levou até a janela do prédio na Manchete e mostrou todo o aterro do Flamengo.

— *Tá vendo tudo isso? Naquele tempo, 500 contos de réis davam pra comprar isso tudo. Filho da puta!*

A

Encostou em mim e começou a chorar:

— *Filho da puta.*

Juro que eu achei que ele iria descontar a grana do meu salário. Mas ele não fez isso, não. Me deu um aumento e disse:

— *Sabe o que você tem que fazer pra gente aumentar o Ibope? Coloca um cabaré na sua novela. Com umas mocinhas de peitos grandes. E veludo vermelho. Muito veludo vermelho.*

— Pode deixar.

— *E aquela menina, a Yara Amaral, coloca os peitos dela pra fora.*

— Mas ela já não é tão menina.

Ele, com 80:

— *Uma criança. Tem um belo par de seios. E não se esqueça, hein?, veludo vermelho.*

AIRTON SOARES, deputado (São Paulo, 1981)

Era ótimo ser hóspede do Airton. Um belo apartamento nos Jardins, espaço preferido pelos recém-separados.

No quarto que passei a ocupar quando me separei da **Marta Góes**, ainda havia cuecas do **Fernando Morais**. Era bom, porque ele passava a semana em Brasília e sábado e domingo visitando o que ele chamava de bases.

Marta M
1974
jornalista e
escritora
Araraquara
pág. 168

Fernando F
1998
escritor
Sorocaba
pág. 88

Tínhamos 35 anos. Ligo para Brasília.

— Liderança do PT.

— O nobre tá aí?

Lá vinha ele.

— *Qual é a reclamação?*

— Nobre deputado, precisamos organizar melhor nossa convivência aqui.

— *Pois não, nobre escritor. Em que o partido pode colaborar?*

— Porra, cara, cadê o lança-perfume?

— *Nobre colega, foi bom o senhor tocar nesse assunto. Saiba, excelência, que o senhor está acabando com o estoque.*

— Mas nobre deputado, tinha três, agora só tem um.

— *O companheiro há de convir que tomei uma medida provisória. Um foi usado no busto da colega – aquela –, outro levei para Lins e escondi o terceiro.*

— Mas nobre deputado, estou aqui com uma companheira que só veio para cá quando citei a mencionada mercadoria.

— *Negativo.*

— Mas nobre, estou aqui com a menina.

— *Negativo. Vou encaminhar seu caso para a comissão. Amanhã estou aí.*

Foi uma luta. Mas achei. Estava dentro de uma meia dele, na segunda gaveta do guarda-roupa. Pra ele não me expulsar, deixei um pouquinho pra ele.

(Depois de ler isso aqui ele vai te dizer que eu sou um ingrato e que roubei um cobertor dele. Mentira. Quem roubou foi o Fernando. E deu pra Ritinha.)

ALBERTO PRATA, poeta e fazendeiro (Uberaba, 1955)

Meu avô paterno. Chamava a mim e meus primos (netos dele) de seu Bostinha. Fazendeiro, perdeu tudo. Até hoje meus tios não conseguiram me explicar como. Falam em jogo e mulheres. Sim, no enterro dele apareceram netos outros.

Mas gostava mesmo era de poetar na mesa da sala entre uma palavra cruzada e outra. Ou contar piada picante para os filhos. Nessas horas, dizia para os netos: sai daqui, seu bostinha. Deixou dois dicionários de palavras cruzadas, feitos por ele, à mão.

Um dia, na fazenda, um empregado foi pedir aumento e argumentou:

— Tenho oito filhos, coronel!

E ele, calmo, pitando e pigarreando:

— *Quem mandou não cuspir fora?*

Levei alguns anos para entender esse tipo de preservativo.

A

ALBERTO PRATA JUNIOR, médico (Bauru, 1954)

Meu pai.

Nos anos 50 e 60, foi delegado regional de Saúde, na Noroeste de São Paulo. De Bauru até a barranca do rio Paraná. Ficava três dias por semana em Bauru, a despachar saúde.

De origem humilde, sempre foi muito ligado aos seus funcionários igualmente humildes. Assim era com o rapaz que fazia e servia o cafezinho. O nome dele era Dondinho e meu pai sempre dizia pra gente que o tal do Dondinho tinha sido jogador de futebol. E bom.

O servente Dondinho gostava do meu pai como chefe, amigo e, em alguns momentos, conselheiro.

— Doutor Prata, lembra do Waldemar de Brito, aquele que jogava no Palmeiras?

— Grande zagueiro.

— Pois é, doutor. Ele está aqui em Bauru, viu uns jogos do meu filho e quer levar ele para treinar em São Paulo. Tá pensando no Palmeiras, no Santos. O que que o senhor acha?

Meu pai nem titubeou:

— Dondinho, pensa um pouco, Dondinho! O menino nem terminou o ginásio. O importante é o estudo. Depois, depois o futebol. Deixa ele terminar o curso dele e, quando ele fizer 18 anos, deixa comigo que eu falo com o Carvalho Pinto, arrumo uma nomeação pra ele aqui na Delegacia. Futuro garantido.

— Mas o seu Waldemar tá entusiasmado com ele. O menino joga direitinho.

— Bobagem, Dondinho. Futebol não dá camisa para ninguém.

Quatro anos depois do Dondinho não ouvir os bons conselhos do meu pai, fomos um dia a Bauru assistir Santos 7, Noroeste 1. O filho do Dondinho, campeão do mundo, depois do jogo, foi se encontrar com a gente na casa do pai que nos serviu, com maestria, o seu cafezinho.

O filho do Dondinho estava usando uma camisa belíssima.

— É sueca, doutor Prata, disse o Pelé.

E deu a usada no jogo para o meu irmão **Leonel** que perdeu a fala e fez cocô nas calças.

Leonel L
1971
estudante
São Paulo
pág. 142

ANA CRISTINA CÉSAR, poeta (São Paulo, 1983)

Conheci a Ana na casa do **Reinaldo Moraes**, Maria Emília Bender e Ruy Fontana Lopes.

Grandes jantaradas, bons vinhos e tome papo. Discutíamos o nada e o tudo. Ficamos amigos. Aliás, as pessoas não ficavam amigas da Ana. As pessoas simplesmente se apaixonavam por ela. Que coisa bonita! Que cabeça! E aqueles poucos cílios brancos num dos olhos? O esquerdo? Nada mais cativante.

Um dia ela veio a São Paulo para participar de uma mesa-redonda para a revista *ISTOÉ*, organizada pela **Marta Góes**. Me ligou do Rio. Queria me ver. Hospedou-se no Hotel Jaraguá onde, lá mesmo, era a mesa-redonda sobre os novos valores da cultura brasileira, ou algo assim. Fiquei de pegá-la à meia-noite. Serviram bebida durante o debate.

Assim que cheguei, o Cacaso vomitou na minha camisa ao me cumprimentar. Tive que pegar uma camiseta da Ana no apartamento dela.

Fomos para um japonês na Liberdade tomar saquê, nós dois. Lá pelas três, ela me diz:

— *Quer ir dormir comigo no hotel? Sem compromisso?*

Fomos. Dormimos, completamente saqueados. Manhã seguinte, levei-a ao aeroporto e nunca devolvi a camiseta. Mas sempre devolvi o carinho. Aliás, onde andará aquela camiseta?

O Reinaldo morreu de ciúmes. Simplesmente porque ela esteve em São Paulo e não tinha ligado para ele.

Uns dois meses depois, estávamos os dois a tomar a cervejinha da tarde no La Villette e ele não parava de olhar no relógio.

— Que foi, cara?

— Sabe o que é? Tem um jantar lá em casa hoje à noite (morávamos no mesmo prédio, na Alagoas) com a mãe e o pai da **Maria Emília**. Coisa meio formal, se não, te convidava.

Fomos embora, peguei o elevador e ainda vi o Reinaldo abrindo a porta dele no térreo. Chego no meu apartamento e a deliciosa e poética voz da Ana C. na secretária eletrônica entregava o mentiroso:

A

R **Reinaldo**
1994
escritor
São Paulo
pág. 196

M **Marta**
1974
jornalista
e escritora
Araraquara
pág. 168

M **Mª Emília**
1990
editora
São Paulo
pág. 160

— *Estou jantando aqui embaixo. Desça quando chegar. Ana C.*

Não sei se a história ficou clara: o que o Reinaldo queria era aproveitar sozinho a Ana C. Queria a Ana só para ele. Era assim que as pessoas amavam a Ana C. Ciumenta e possessivamente.

Não tive dúvidas. Peguei o elevador e desci os dois andares. Ele abriu a porta já pedindo desculpas. E a Ana a me dizer que assim que ele entrou ela perguntou por mim e o sujeito teve a cara-de-pau de dizer que não me via há dias.

Aproveitamos a Ana, juntos.

Preciso achar aquela camiseta.

ANA KALUME, atriz (São Paulo, 1985)

Deve ter sido por ter estudado tanto em colégio de padres, que eu sempre tive o fetiche de transar com uma freira.

A Ana fazia uma freira numa peça. Ela, linda, maravilhosa, com aquele hábito cinza. Era tudo que eu pedia a Deus.

Não deu outra. Um dia fui buscar a atriz, pensando na freira e não tive a menor vergonha de pedir:

— Leva o figurino, leva!

A peça se chamava *A Noviça Rebelde*!

ANDRÉA BOTELHO, psicóloga (São Paulo, 1993)

Eu mesmo já namorei uma andréa. A Botelho.

Sim, andréa é substantivo coletivo. Foi entre 1964 e 1969 que elas nasceram.

Dezenas, centenas, milhares de andréas. Todo casal que se prezava, naquela época, tinha uma andréa. O mais interessante é que o nome é masculino na Itália, de onde foi importado. Dava a impressão que as andréas eram compradas em supermercados:

— Por favor, duas folhas de alface, uma Coca e uma andréa. Tá boa a andréa?

— Fresquinha, de hoje.

O que eu estou querendo dizer é que eu já tinha uma certa idade quando aconteceu a epidemia e um dia me encontro com o **Dagomir Marquesi** que me apresenta uma namorada nova, uma gracinha, loira, cabelo cacheado: Andréa. Pasmei.

Pela primeira vez na vida, senti que estava ficando velho:

— Dagô, a gente tá ficando velho: as andréas já estão dando!

A

D **Dagomir**
1983
jornalista
São Paulo
pág. 64

ANGELA MARQUES DA COSTA, historiadora (São Paulo, 1999)

Afinal, Angela, é Ricardo II ou Eduardo II, lá da Inglaterra, que era bicha? E quem era o avô de quem?

Ela sabe essas coisas todas. Ela sabe das coisas.

Mandei esse livro pra ela. Respondeu:

Aqui, na Vila Madalena, acordei cedo, botei roupinha de ginástica, separei meu caderno de anotações, pronta pra cumprir minha programação matinal: malhar um pouco e depois biblioteca da USP, pesquisinha rápida.

Olhei pra minha máquina, pensei, não vou abrir. Só depois. Tomei o café que eu mesma preparei, acendi um cigarro, olhei novamente pra máquina, e abri.

Não fiz ginástica, não fiz porra de pesquisa nenhuma. E mais não digo, que não gosto que me chamem de puxa-saco.

ANGELI, cartunista (São Paulo, 1993)

Não me lembro, em mais de 20 anos de viadagem com ele, de termos conversado alguma coisa útil. Nunca conseguimos sair de punheta, cocô, dar, por aí.

Um dia, posto está ele a cartunizar na sua prancheta, com todas as referenciais *cannabis* canabizadas quando entra uma raivosa namorada de quem vinha fugindo.

Olha o que ele fez: fingiu que discou para mim e disse, como se falasse com a eletrônica:

A

— *Prata, aquela reunião, tou saindo daqui.*

Enquanto isso, ela esbravejava, toda Rê Bordosa.

Pegou o paletó e saiu, entrou no carro, ela se mandou, ele deu uma volta no quarteirão e voltou à sua condição de meia-oito no mesmo lugar de onde havia saído.

Foi ela chegar em casa e telefonar para ele mais irada ainda. E colocou uma gravação para o Angeli ouvir. Era a voz dele tentando falar comigo com a própria voz dela ao fundo.

É que, nervoso que estava, tinha discado o número dela no lugar do meu.

ANINHA DE FRANCESCO, criança (Jundiaí, 1986)

Tinha dois anos e meio, cabelos cacheados loiros, olhos azuis. Olavo Bilac diria que era uma boneca. Foi quando a Cíntia, a mãe, minha cunhada, casada com o Moreno, irmão da **Luciana De Francesco**, resolveu cortar um pouco daquele cabelo. Pegou uma enorme tesoura que apavorou a indefesa criança.

Luciana L
1985
fotógrafa
São Paulo
pág. 146

A Aninha, aterrorizada, sai correndo pela casa e a mãe atrás, com a tesoura. Depois, com muito jeito, foi explicando.

— Não dói, filhinha. São só dois dedinhos, prometo.

A menina, chorando, abre as mãozinhas trêmulas, olha para os dedinhos:

— *Quais?*

ANNETTE SCHWARTSMAN, jornalista (São Paulo, 1991)

Era minha namorada. Era.

Quando eu resolvi morar em Portugal, antes de ir, na casa da Marjorie Gueller e do **Dênio Benfatti**, apresentei ela para o **Tenório de Oliveira Lima**, que era muito bem casado com a Zélia Cavalcanti, prima-irmã dele. Coisa de baianos.

Dênio D
1987
urbanista
São Paulo
pág. 69

Tenório T
1994
psiquiatra
São Paulo
pág. 227

E não é que o Tena se separou da Zelinha e se casou com a minha namorada? Já têm até um filho, o Vicente.

Eu achava que eu ia ser, no mínimo, padrinho do menino. Mas chamaram o **Caetano Veloso** que não tinha nada que ver com essa história.

Mas, no fundo, eu sei. O padrinho sou eu. E não se fala mais nisso.

ANTÔNIO ABUJAMRA, diretor de teatro (São Paulo, 1974)

Desde 74, há 25 anos que o Abu me dá dois tipos de telefonemas:

a:

— *Prata?*

— Abu?

— *Sabe o que eu tenho pra te dizer? Nada! Tchau.*

— Tchau.

b:

— *Prata?*

— Abu?

— *Estou ligando pra dizer que te amo. Tchau.*

— Tchau.

ANTÔNIO CÂNDIDO, professor (São Paulo, 1980)

Tive a honra e o prazer de viver na mesma vila do Mestre alguns anos. Pouco falávamos de literatura. Era mais papo de vizinho mesmo, lá nas nossas casas, na rua Bryaxis, ex-Dona Alice.

Um dia ele apareceu lá em casa. Ia passar três meses dando aula em Harvard. Me pediu dois favores na sua ausência: todo dia dar partida na sua já velha Brasília bordô e receber a correspondência.

Dar a partida o **Antonio**, meu filho, se encarregaria. Mas a correspondência do professor era bem mais complicada.

No começo, a gente começou a colocar numa mesinha. Uns dias depois, debaixo da escada. E quando começou a invadir a sala, coloquei tudo no porta-malas e levei para a casa da **Loli**, minha sogra.

A

C **Caetano**
1980
compositor
Rio
pág. 45

A **Antonio**
1984
estudante
São Paulo
pág. 32

L **Loli**
1981
dona de
escola
São Paulo
pág. 144

A

Você não pode imaginar o que é a correspondência do professor. Todas as editoras mandam os lançamentos para ele. Fora os escritores amadores que mandam manuscritos, teses e pedidos de palestras.

Foi com uma Kombi que fui levar tudo quando ele voltou.

Aproveitei a ida e pedi material sobre a dona Beja, porque eu estava escrevendo uma peça sobre ela para o Palácio das Artes, de Belo Horizonte. Meia hora depois me levou uns dez livros sobre a doida e ainda me confidenciou que era sobrinho-neto de um dos amantes da dona Beja. Amante este que, casado, tinha tido uma filha com ela, a Joana.

Dias depois, pesquisando no Araxá, descobri um documento manuscrito, escrito pelo pai do dom José Gaspar, farmacêutico da cidade, onde informava, com toda a segurança, que a vagina da dona Beja era vibrátil, atraente, deglutante, succátil, assimilante e mais uns três ou quatro adjetivos. Mostrei aquilo ao Mestre, que leu seriamente.

— *Interessante. Muito interessante.*

E deve ter pensado lá no tio-avô dele que por lá andara e vibrara.

Dois meses depois, estou saindo de um cinema com a **Marta Góes** e encontramos com ele. Demos uma carona para aquele homem sempre, sempre muito elegante, bem barbeado, terno e gravata, cabelinho perfeito e, sempre, sempre com o seu guarda-chuva, para sol ou chuva.

Marta M
1974
jornalista
e escritora
Araraquara
pág. 168

Já no carro:

— *Como vão os ensaios da dona Beja?*

— Estreamos em um mês, professor.

— *O cenário como é?,* perguntou muito curioso.

Expliquei todo o cenário, feito por um uruguaio.

— *Mas já está pronto?*

— Praticamente. Por quê?

— *É que eu tive uma idéia lendo aqueles manuscritos que você me deu. Uma idéia para o cenário.*

— E como seria, professor?, a Marta perguntou.

E o grande Mestre, no banco de trás, abrindo os braços, genial:

— *Uma grande vagina, ocupando todo o espaço cênico. Uma parte vibrátil, a outra succátil, a outra deglutante...*

ANTÔNIO MASCHIO, ator (São Paulo, 1981)

A

O Pirandello foi o grande bar dos anos 80. Ali o Maschio e o Wladimir balançavam a pança. Fora a inebriante simpatia.

No dia da inauguração, em 1980, fiz minha primeira (e última) reclamação. Todos os pratos tinham nomes de escritores. Metido, reclamei o meu. O Maschio explicou que eram só escritores mortos.

Observei melhor e era verdade. Mas tinha lá o Menotti del Picchia e ele estava vivo.

— *Ué, ele ainda não morreu?*

A partir desse dia o Menotti del Picchia deixou de ser abobrinha recheada.

Dias depois, leio na autobiografia do Oswald de Andrade, que ele tinha morado ali, na Augusta, perto da Marquês de Paranaguá, no final da década de 10. Conto para o Maschio. Podia ser aquela, sugiro. Ele:

— *Foi aqui, não. Essa casa é de 1935.*

No dia seguinte, ao entrar, ouço o Maschio apresentando o bar para a **Fernanda Montenegro**:

— *O piano ficava ali. Nessa sala eram os saraus...*

F **Fernanda**
1992
atriz
Cascais
pág. 87

Que o Oswald de Andrade tinha morado ali foi logo notícia. Os jornais, sem pesquisarem, assumiram. Fiquei na minha. Brasil!

Em 84, o lançamento do amarelo pelas Diretas-Já foi lá. Tava todo mundo: Fernando Henrique, Lula, Brizola, Ulisses Guimarães, Osmar Santos, **Quércia**.

Q **Quércia**
1990
governador
São Paulo
pág. 192

Me lembro perfeitamente. Eu, no meio da multidão, na rua, e os oradores diretando pela janela. Todos começavam seus discursos assim:

— Aqui, nessa casa, onde morou Oswald de Andrade...

E o povo delirava.

Depois colocaram uma placa lá dentro.

Depois venderam o bar.

E hoje, se você passar lá na frente, é uma casa abandonada com um melancólico *aluga-se*, nada modernista.

A

ANTONIO PRATA, estudante (São Paulo, 1984)

Fiz uma besteira qualquer e ele, com sete anos:

— *Pai, você é uma anta!*

Fiquei olhando praquele pirralho.

— Ah, é? E filho de anta, o que é?

Pensou dois segundos e respondeu:

— *Antonio!*

ARNALDO JABOR, escritor (São Paulo, 1999)

Há três meses eu não via o Jabor. Ao vivo. Encontro com ele no Tan Tan, dou um abraço, ele me beija me apertando contra o peito enorme. Ele saía do banho. Estava muito perfumado o peito do Jabor. Fiquei tonto, sentei e pedi baunilha. Me diz, todo nova-iorquino:

— *Pratinha, o homem, depois dos 50, precisa arrumar logo uma mulher pra limpar a baba dele na velhice.*

ASPÁSIA CUNHA CAMPOS, educadora (Uberaba, 1960)

Fiica F
1981
dona-de-casa
Uberaba
pág. 89

A popularíssima Tipá, virgem até morrer, minha tia-avó, irmã da **Fiica**. Sempre envolta num misterioso caso anatômico: deu à luz, na barriga da perna, um feto feito nas coxas.

Desde pequena, contavam as irmãs, que a Tipá tinha aquela ferida ali. Às vezes, sumia. Depois voltava, inchava, coçava. Tomava remédio, a coisa regredia.

Mas, quando ela já tinha uns 60 anos, e a coisa ficou feia, os médicos de Uberaba lavaram as mãos. Não sabiam explicar aquilo. Foi ao Rio e se submeteu a uma operação delicadíssima.

Havia um feto bem cabeludo na barriga da perna da velha virgem.

A medicina logo deu a explicação. Seria um feto gêmeo dela, que foi atrofiado. Dizem que o caso saiu em revistas médicas da época, ao lado do caso Ayda Cury e do Gagarin subindo ao espaço.

Mas para nós, alcoviteiros sobrinhos, deve ter sido nas coxas, a fecundação.

*

Fernando Morais, ao ler os originais, me manda a seguinte informação:

Sabe aquele troço que a "Aspásia Cunha Campos, educadora (Uberaba, 1960), a popularíssima Tipá" tinha na batata da perna? Porra, rapaz, lembra do dramaturgo Guilherme Figueiredo, irmão do presidente-general? Ele passou a vida com uma coisa não identificada pelos médicos — só que a dele não era na perna, era no cóccix, aquele último ossinho que a gente tem na coluna vertebral, lá pertinho do fiofó. Pois não é que ele já adulto vai a um médico, o cara abre aquela porra e o que encontra lá dentro? Vários dentinhos e uns pêlos (que tanto poderiam ser de um bigode ou de uma xoxota, imagino eu). Era um irmão gêmeo (ou irmã gêmea) dele que não vingou e virou aquela merdinha ali. Exatamente como a popularíssima Tipá.

Vivendo e aprendendo, né?

B

BADARÓ, dentista (São Paulo, 1993)

Não via o Badaró há uns 20 anos. Fizemos o primário juntos. Ele se formou em odontologia lá mesmo, em Lins. Foi abrir clínica popular no Mato Grosso e sumiu da minha vida. Na minha lembrança ficou que ele era meio tarado.

Encontrei com ele num bingo, semana passada. Todo de branco, como convém. Foi ele que me reconheceu. Saímos dali e fomos para o bar mais próximo onde ele me contou o seguinte:

A minha mulher começou a dar para o delegado de Cáceres. Larguei tudo e vim pra São Paulo em 89. Tentei trabalhar com o ***Gutão****, lembra? Fui morar num flat. Tinha muita menina, bem jovens, putinha, sabe? Coisa de nível. Boate Photô, já ouviu falar? Cada gatinha, meu! Foi quando eu conheci a Diana. A Diana é uma cafetina. Cafetina de alto nível. Agencia as meninas, entende? Conhece o mercado. E ela cismou comigo, gostava de transar comigo.*

Gutão G
1978
dentista
Munique
pág. 95

Minha vida nunca mais seria a mesma. Larguei a odontologia. Hoje sou Provador de Puta.

— Como é que é?

Quando as meninas são indicadas para a Diana, 15, 16 anos, ou mais velhas, 18/19, já universitárias, a Diana passa as meninas para mim. Tenho um outro apartamento no flat, pago pela Diana, que é onde a coisa funciona. Recebo como médico. Faço uma ficha, igual consultório mesmo. Além de toda a parte médica, tem a parte técnica. Há quanto tempo perdeu a virgindade, com quantos homens já transou, se tem algum problema, se faz sexo anal. Enfim, levanto a vida sexual da moça. Num segundo estágio começam as aulas práticas.

Peço todos os exames de sangue, fezes e urina. Ao mesmo tempo, saio para jantar, ensino o uso dos talheres, como escolher um bom vinho, etc. Vestuário, perfume, tudo. Tudo pago pela Diana, é claro. Quando a menina tá no ponto, a Diana coloca no mercado.

— E a Diana te paga pra fazer isso? Comer essas gracinhas todas?

Deus existe, cara! Ganho 200 por consulta. Dependendo do mês, dá pra tirar uns 15 paus.

E, por fora, negócio só meu, criei o CPF (Consórcio de Profissional Fina). O consorciado paga 300 paus por mês e tem direito — sem sorteio, hein! — a oito trepadas por mês. Pode ser com a mesma menina, ou avulso. Ou misto. É um ótimo negócio para o consorciado. Sai menos de 30 reais a vez. E damos garantia contra Aids, gonorréia, etc.

B

BEBEL GILBERTO, estudante (Rio, 1973)

Sei que a Bebel cresceu, virou cantora, mas a imagem dela que ficou foi a da filha da **Miúcha**.

M **Miúcha** 1973 cantora Rio **pág. 178**

Tinha o quê?, seis, sete anos? Ela e a mãe tinham voltado há pouco do México. Ela falava com um pequeno sotaque.

Um dia, eu e a mãe dela estávamos na sala ouvindo a Miúcha cantar "Calabar" de trás pra frente. Nisso, passou o cachorro delas com um pau imenso, se arrastando. Nunca tinha visto uma coisa daquele tamanho. Nem a Miúcha.

A Bebel chegou da aula. Beijinhos e foi para o quarto dela. Voltou irritada, a filha do João Gilberto:

— *Mãe, a minha cama tá cheia de espermatozóides! Espermatozóides pulando.*

Tinha sido o cachorro, imaginei. O cachorro estava por ali, ainda de pau duro. A Bebel quis levar o cachorro imediatamente ao veterinário, no que a Miúcha a obstruiu energicamente:

— Nem pensar! O veterinário é do lado do Veloso (o bar da turma da Miúcha, onde **Vinícius** e Tom fizeram "Garota de Ipanema"), tá cheio de amigo meu lá. E eu que não admito que a minha filha passe lá com o meu cachorro no colo, no meu bar, com o pau duro desse jeito. Dá um jeito aí.

V **Vinícius** 1972 poeta e diplomata São Paulo **pág. 237**

Meia hora depois o cachorro voltou do quarto, normal.

— O que você fez?

— *Fui enroscando pra dentro até entrar.*

B

BEL DE LORENZO, estudante (São Paulo, 1989)

Ela tinha 19, eu 43.

Mas bateu. Doença, dizia ela, enquanto traduzia poemas em latim. A mãe, conterrânea da Maria Antonia, mais nova do que eu.

Depois de um ano, gentilmente fui convidado a ir para Araraquara conhecer a família toda.

Dormi no quarto dela — com ela — ao lado de ursinhos de pelúcia, bonecas, Platão e Cícero.

Os pais dela fizeram um jantar para me apresentar à família, contra a vontade dela, é claro. Mas teve um tio, bem mais moço que eu que, impossibilitado de ir, mandou um bilhete que deixou ela doida da vida e eu adorei:

Belzinha, antes um Mario Prata do que um Mario Lago.

BETH CAMPOS DE MORAES, jornalista (Rio, 1985)

Fui ao Rio tratar de trabalho e levei meus filhos Antonio e Maria. Oito e sete anos. Iam ficar uns dias na casa da Beth, minha ex-namorada, minha amiga, casada com o Colombo. O casal querido estava, emocionalmente, já nos últimos dias de paupéria.

Maria me acha na Globo, por telefone. Diz que não fica lá nem mais um minuto. Levo os dois para o hotel e ela me conta:

— Pai, a gente estava brincando de esconde-esconde e eu me escondi debaixo da cama deles. De repente, pai, os dois entram brigando, trancam a porta e quebram o maior pau. Brigam feio. Eu, lá embaixo, quieta. Já pensou se eles me pegam lá? Pai, eles tavam brigando mesmo, pra valer.

— Minha filha, é mais informação do que eu preciso. Casamento é assim mesmo. Normal.

— Jogavam livros um no outro.

— É assim que intelectual briga, minha filha.

Em tempo. Ela e o Colombo acabaram se separando e viveram felizes para sempre. E os filhos também.

BIBI FERREIRA, atriz (Rio, 1976)

Desde o começo dos anos 60 que as pessoas do Rio me diziam, em São Paulo, que no Rio tinha um autor de teatro que era a minha cara. O **Paulo Pontes**, marido da Bibi.

Saberia, depois, que, para ele, diziam que em São Paulo tinha um cara com a cara dele.

Um dia eu estava no Piolin, a porta se abre e ele (ou era eu?) entra. Ele também me viu e nos abraçamos e ficamos amigos até a morte dele, em 76, com apenas 36 anos.

Achei melhor não ir ao velório. Ia ficar meio esquisito um no caixão e o outro olhando. Mas, depois de tomar umas em homenagem a ele, lá pelas três da manhã resolvi ir lá, dar um beijo na Bibi.

Não tinha ninguém. Só ela. Num canto, uma mulher dormia num banco de madeira. Prima dele que tinha vindo da Paraíba, me explicava a Bibi.

Estava eu lá conversando com ela, quando a tal prima acordou e, ainda meio sonolenta, me viu. Olhou para a minha cara, deu um grito e saiu correndo cemitério afora.

E eu fui logo embora, deixando a Bibi lá. Com o Paulinho. E comigo.

P **Paulo**
1973
escritor
Rio
pág. 185

BIPE, arquiteto (Lins, 1962)

Meu tio, quase da minha idade.

Era comunista, sussurrava-se em família. Ateu, diziam os mais velhos. Perigosíssimo, diriam os militares dois anos depois quando ele iria fugir do país junto com o Arraes.

Mas, antes, passou por Lins para fazer uma operação de hérnia, já que o meu **pai** era médico por lá. E como o tio Padre também estava no pedaço, resolveu fazer a confissão com o irmão padre.

Foram para a igreja e de lá para a Santa Casa. Dizem que o Bipe, o comunista e ateu, estava com medo de morrer.

Comunista, ateu, mas vá que a coisa existia mesmo, era melhor morrer confessado e entrar logo no reino dos céus.

A **Alberto**
1954
médico
Bauru
pág. 24

B

Os irmãos, todos moleques até hoje, enquanto ele dormia anestesiado depois da operação, fizeram um cenário de céu no quarto, com lençóis brancos, nuvens de plástico.

Quando ele voltou da anestesia, ainda naquele estado meio grogue, os irmãos entoavam:

Os anjos, todos os anjos, para sempre amém.

Ele deu uma geral no quarto e disse assustado:

— *Cadê a Santa Terezinha? Cadê a Santa Terezinha? Quero falar com a Santa Terezinha.*

BOB WOLFENSON, fotógrafo (São Paulo, 1998)

Morro de inveja desse cara. Quem sabe quem é o Bob, sabe do que eu estou falando.

Seguramente, um dos maiores fotógrafos do Brasil. Fotografa tudo e bem. Mas ele é bom mesmo nos nus. Chamados artísticos. Sabe aquelas fotos todas da *Playboy*? Aquelas mulheres todas? Todas, eu disse. Imagine a brasileira mais bonita, mais gostosa. Imaginou? Pois é, foi ele.

O Bob nasceu com a câmera virada para a lua.

Ficava imaginando ele ajeitando as meninas, levanta mais o peitinho, arrebita mais a bundinha, isso, sorri, olha para mim. Sorri para mim. Vira um pouco a bundinha pra lá. Assim.

Eis que o mundo gira, a Lusitana roda e eu começo a namorar a **Renata**, modelo. Um e oitenta e dois, sentada. Um dia, aconteceu o que eu temia.

Renata R
1997
modelo
São Paulo
pág. 198

— Ele me convidou para posar pra ele.

Tóim! Me mantive sereno, disfarcei, mas o que eu queria mesmo era matar o cara. Tanta modelo e atriz por aí.

— O que você acha?

Nessa hora ou a gente engrossa de vez ou é moderno. Sei que o resto da vida ele iria olhar para a minha cara e sei que ele estaria pensando dentro dos seus cativantes olhos azuis: eu já vi! eu já vi!

E agora? Fui moderno, com o colégio salesiano me mordendo lá por dentro. Imaginei a namorada na capa da *Playboy*. Todo mundo comprando a revista. Sim, eu gosto da *Playboy*. Como você. Tem belas entrevistas, bons artigos de fundo (e de frente), contistas excelentes. Realmente uma revista para leitura.

— É para a *Playboy*?

— Não, um livro que ele vai fazer. Chama *Tubo de Ensaio*.

— *Tubo de Ensaio*, é?

— É, ele fez um tubo de acrílico e vai colocar as pessoas lá dentro e fotografar. Homens e mulheres. Um de cada vez, é claro.

— Nuas?

— Claro, amor.

Fiquei imaginando a minha namorada pelada (o termo é esse) dentro de um patético tubo e todos os meus amigos folheando o livro. Fora os vizinhos. E aqueles comentários que você sabe quais são.

Nessa noite não dormi. Dias depois, estaria nua na frente dele. E do mundo. Isso não estava certo.

— Então vamos fazer o seguinte. Homem também, não é? Então fala pra ele que eu também quero posar.

Ela começou a rir.

— Tá rindo do quê?

O pior é que ele topou. Foi quando eu caí em mim. E essa barriga, onde é que eu vou enfiar? Fiquei olhando a minha bunda no espelho. Meu Deus, o que a minha mãe não vai pensar disso? E a minha filha? Encolhi a barriga diante do espelho. Quase perdi a respiração. Renata ria, desgraçada.

A essa altura eu já queria matar o cara. Por que ele não vai fotografar a mulher dele? Tinha que ser a minha? E eu, tenho que ser moderno assim? Colocando uma cueca samba-canção ridícula, olhei para o meu envergonhado, com o perdão da palavra, pênis. Lá estava ele, encolhidíssimo, tímido, assustado. Quem sabe se, na hora, eu der uns tapinhas nele...

— Seguinte, fala pra ele que eu não vou fotografar porra nenhuma!

— Agora vai pegar mal. Tá todo mundo sabendo que você ia fotografar. Vai todo mundo dizer que você não vai fotografar nu porque...

— Por quê? Me diz. Por quê?

BOCA, fazendeiro (Lins, 1995)

Desde moleque que ele tem esse apelido.

Porque tem uma boca assim, sabe? Meio boca mole. Aí o filho foi crescendo e ficando igualzinho. Ficou conhecido como Boca Junior.

BONI, homem de televisão (Rio, 1978)

Enquanto assistia os cinco primeiros capítulos da minha novela, *Sem Lenço, Sem Documento*, no nono andar da Vênus Platinada, ele tomou uma injeção na bunda, cortou o cabelo e beliscou uns sanduíches. A novela era colorida, mas ele quis ver em preto-e-branco.

Naquela época, informava ele, mais de 80% da população ainda assistia em preto-e-branco. Elogiou tudo: texto, direção, elenco, cenário e figurino. E me perguntou:

— *Quantos capítulos você já escreveu?*

— Estou no 34.

— *Então, no 35 coloca o Walmor Chagas.*

— A troco?

Ele alegava que só tinha homem feio. Contra-argumentei dizendo que o Jonas Bloch e o Ivan Setta eram bonitos, um novo tipo de beleza.

— *Ah, é?* (apertou o interfone) *Dona Ruth, manda aqui pra minha sala todas as secretárias do oitavo, do nono e do décimo andar. E as cozinheiras, também.*

Colocou um capítulo onde os dois atores contracenavam. As secretárias foram chegando, todas temerosas. Imagine, ser chamada na sala do seu Boni. Tinha umas 15. Ele disse:

— *Olhem essa cena. Algum desses atores mexe, digamos, com a libido de vocês?*

É, ninguém tinha se entusiasmado com os meus galãs. Teimoso, deixei o Walmor de lado.

Uns 15 dias depois, estréia a novela. Minha **mãe** me liga lá de Lins, antes mesmo das cenas do próximo capítulo.

— Tá linda, meu filho. Meus parabéns. Mas, olha, posso dar um palpite? Coloca um homem bonito, meu filho. Só tem homem feio.

A novela foi em frente, capengando entre o Ibope e os homens feios. Quando faltavam, para escrever, 20 capítulos, o Boni me chama.

— Seguinte: a novela tá dando 65, em média. Quero que a média desses 20 capítulos que faltam seja 75. Pra passar a bola pru Cassiano (que estava escrevendo a próxima) lá em cima. Se você conseguir isso, te dou o que você quiser. O que você quer? Pode pedir. Terminar com 75.

Pensei e disse:

— Duas passagens ida e volta para Tóquio. Ida por Paris, volta por São Francisco e, além da passagem e do hotel, uma boa grana pra gastar.

Ele escreveu isso tudo num papel, como se fosse um vale. Assinou embaixo.

Fui pra casa e fiquei pensando em como aumentar o Ibope. A atriz mais amada e mais odiada da novela era a Bruna Lombardi. A coisa tinha que ser por ali.

Dei um tiro no peito da Bruna que virou capa da *Amiga*. O Ibope pulou 15 pontos, ele me informou, entusiasmado, pelo telefone.

— A Bruna vai ficar até o final da novela nesse morre-não-morre, né?

— Não, sai do hospital amanhã. Desculpa, cara, não sei enrolar.

— Pois não vai conhecer Tóquio tão cedo!

Vinte e um anos depois, ainda não fui a Tóquio.

B

D **Dídia**
1935
estudante
Campanha
pág. 73

B

BORJALO, cartunista (Rio, 1976)

Ele era diretor de programação da Globo.

Na parede da sua sala uma moldura com um cartum dele, genial. Um sujeito derrubando uma árvore com um machado. No cabo de madeira do machado, nascendo uma folha.

Eu ainda estava fazendo a sinopse da novela *Estúpido Cupido* que ia substituir *Anjo Mau*, do Cassiano Gabus Mendes. Eu sabia quem era o meu público no teatro, de onde vinha, mas televisão?

Entro na sala dessa simpatia mineira e pergunto:

— Pra quem é que eu vou escrever?

E ele, brilhante:

— *Sabe essa novela que está acabando? A Nice, feita pela Suzana Vieira, a babá, morreu. Mil reclamações. Aí fizemos um* Globo Repórter *sobre o acontecimento,* disse rindo. *Entrevistamos a atriz, o autor, público, populares, aquela coisa de sempre. Pois bem, eu fui um dos entrevistados. E quando o programa foi para o ar, eu estava jantando na minha casa. Na hora que eu fui falar, ficou todo mundo em silêncio, inclusive a nossa empregada, que servia, estática ficou, atenta. E eu disse que a Nice não devia morrer. No que a empregada olhou bem para a minha cara e, com a maior seriedade, definiu:*

— Doutor Borjalo, o senhor vai me desculpar, mas a Nice tinha que morrer, sim senhor. Sabe por causa, por causa de que até hoje ela não pagou o que fez em *Escalada* !

(*Escalada*, do **Lauro Cesar Muniz**, tinha passado há três anos, e a atriz Suzana Vieira deve ter aprontado alguma lá.)

— *Pois é, Prata, entendeu qual é o público?*

— Entendi.

Lauro L
1981
escritor
São Paulo
pág. 137

CABELINHO, estudante (Lins, 1955)

Ele tinha — e tem até hoje — um topetinho bem élvis. Hoje, totalmente branco. Mas o apelido ainda faz jus.

Quando eu tinha uns oito/nove anos, era muito magrinho e apanhava dos outros meninos (quando tinha coragem de enfrentar). Um dia, um cara mais velho e mais forte, o Vadão, bateu em mim, sei lá por quê. Devia estar enchendo o saco dele.

O Cabelinho soube. Era uns dois anos mais velho do que eu, foi lá na rua de baixo e deu uma surra no Vadão. Depois, me chamou:

— *Já avisei a rua toda. Quem bater em você, é só me avisar que eu dou um pau nele.*

A partir desse dia passei a ser mais respeitado.

Mas que parece coisa de viado, parece.

CACÁ ROSSET, diretor e ator de teatro (São Paulo, 1988)

Eu e o **Angeli** adaptamos a *Rê Bordosa* para teatro e marcamos um almoço com ele no Mássimo.

A gente queria que ele dirigisse a peça. Ele levou a namorada, **Mika Lins.** Ela estava com uma blusa de botão, completamente desabotoada.

Quando ela foi ao banheiro, ele disse, generalizando:

— *Tudo que o homem faz na vida só tem uma finalidade: comer mulher. O cara quer ser famoso, pra comer mulher. O cara quer ser rico, pra comer mulher. O cara quer aparecer, pra comer mulher. Só pra isso. A vida do homem não tem outra finalidade.*

Eu e o Angeli morremos de inveja dele.

CACHORRÃO, técnico (São Paulo, 1999)

Este livro que você tem agora na sua frente não seria o mesmo sem a juda do Cachorrão (vulgarmente conhecido por Wagner Belíssimo Homem), que colocou aqui um tal de hyperlink que eu prometo não explicar o que é.

C

A **Angeli** 1993 cartunista São Paulo **pág. 27**

M **Mika** 1990 atriz Angra **pág. 175**

C

Chico C
1998
compositor
Paris
pág. 55

Ele é meu homem para computador. Meu, do Fernando Morais e de tantos outros. E é dele também a genial home page do **Chico Buarque**.

Intelectual que é, acabou ficando amigo da gente. Descoberta do Fernando. Então, ele não cobra. Ou melhor, cobra em doses de uísque. Doses.

Élia E
1997
professora
de patologia
São Paulo
pág. 80

CADU, produtor (São Paulo, 1998)

Havia muito tempo que eu não via ele. Encontro com a figura na festa da **Élia**, já avô. Ele. Pergunto pela mulher.

— *Separamos.*

— Vocês? Não acredito.

— *Sabe por quê? Por causa do papel higiênico.*

— Senta aqui, isso, aqui. Quer um uísque? Me conta essa história que deve ser do caralho. É que eu estou escrevendo um livro que...

— *Me diz, como é que você coloca o papel higiênico no rolo? O papel saindo por cima ou por baixo?*

— Sabe que eu nunca pensei nisso? Por baixo ou por cima? Não tenho a menor idéia.

— *Por baixo, cara! Por baixo! Homem que é homem põe por baixo. Mulher, por cima. Te juro. Fiz pesquisa quando a briga começou. A maioria dos homens põe por baixo e as mulheres, quase todas, põem por cima.*

— E a sua mulher põe por cima?

— *Punha. Eu ia lá, virava pra baixo. Ela desvirava. Aquilo foi indo, foi indo e acabou com o nosso casamento.*

— Que chato, cara!

— *É a vida, né, companheiro? E a sua namorada, a Renata? Como é que ela põe? Por cima, tenho certeza.*

Chego em casa encafifado com aquilo. Corro ao banheiro. Por cima! Viro! Vou no outro banheiro. Por cima! Viro! No lavabo, viro!

No dia seguinte, acordo e vou ao banheiro. Ela tinha revirado. Por cima!

Hoje ela mora em Paris. Está por cima.

CAETANO VELOSO, compositor (Rio, 1980)

Tarso de Castro, Antônio Pedro, Luiz Carlos Maciel, eu e mais uns, no quarto do Caetano, no Rio, fazendo uma entrevista para a revista *Careta*. Ele, lindo, todo de branco, refestelado numa imensa cama. Falava da sua última paixão: Curitiba.

A gente foi ficando bêbado, é claro. Caetano, debaixo dos seus caracóis, não bebia, lúcido.

Foi quando o Antônio Pedro perguntou:

— E o fiofó, já deu?

Ele, tranqüilo, superior, não se abalou:

— *Primeiro me digam, um por um, quem aí já deu.*

Cada um deu uma desculpa, tipo onde mamãe colocou a santa mão, ninguém, etc., ou tenho hemorróidas. Quando chegou em mim: só pra mulher.

Ele acabou dizendo que nunca tinha feito aquilo, mas ninguém acreditou.

Quando a gente estava indo embora, descendo do quarto, no meio da escada tinha uma porta para o escritório dele. Ele me puxou lá para dentro.

— *Como é esse negócio de dar pra mulher?*

— Dedo, ué? Vai me dizer que você nunca...

— *Jamais! Jamais! O pessoal se esquece que eu sou do interior da Bahia. Lá, esse negócio de dar, é muito sério. No meu, ninguém encosta. Nem Dedé.*

Anos depois, num almoço na casa do psiquiatra **Luiz Tenório de Oliveira Lima**, eu voltei ao assunto com ele. Me convenceu.

CAIO FERNANDO ABREU, escritor (Porto Alegre, 1995)

Pratinha querido,

obrigado pela carta que você me escreveu. Pensei em responder pelo jornal mesmo — para dizer principalmente que acho você muito mais Ouro do que Prata — mas ia ser muita veadagem toda essa jogação pública de confetes, não?

Hoje gostei mais ainda ao ler que choveram anjos na sua horta depois da crônica. Adorei aquela história do diário

C

T **Tarso**
1980
jornalista
Rio
pág. 226

T **Tenório**
1994
psiquiatra
São Paulo
pág. 227

C

da gestação. Anjo-da-guarda é papo quente. Se bem que alguns são meio vadios e nem sempre cumprem horário integral.

Ando bem, mas um pouco aos trancos. Como costumo dizer, um dia de salto sete, outro de sandália havaiana. É preciso ter muita paciência com esse vírus do cão. E fé em Deus. E falanges de anjos-da-guarda fazendo hora extra. E principalmente amigos como você e muitos outros, graças a Deus, que são melhores que AZT.

Precisamos nos encontrar uma hora dessas só para falar mal de Portugal. A propósito, não posso deixar de te contar esta que me aconteceu. Estava eu troteando ali pela Rua Augusta, Rua do Ouro, aquela jequeira braba, quando se aproxima um portuga de bastos bigodes. Puxa papo, ah és brasileiro, aquelas coisas. E de repente suspira e diz: "Ai, gostava tanto de ir-te à peida!" Com dificuldade traduzi: queria era me enrabar, pode?

Que esteja tudo em paz com você. Dá um abraço no ***Reinaldo*** *e em quem perguntar por mim.*

Um beijo do seu velho

Caio F.

Reinaldo R
1994
escritor
São Paulo
pág. 196

CAIO GRACO PRADO, editor (Cantareira, 1990)

Sabadão lá na Cantareira, no castelo dele.

Começa a pegar fogo lá embaixo, na serra. O fogo vem subindo. A gente na piscina.

— Caio, o fogo tá chegando perto.

— *Não passa daquela estrada lá embaixo.*

Passou, cada vez mais forte e mais rápido.

— *Fica tranqüilo que dessa estrada aqui não passa.*

Passou. A casa ficou rodeada. Os pinheiros todos pegando fogo. Pego as crianças para colocar no carro e fugir. A Maiá, filha dele e da Suzana, tem a calma de perguntar se dá para fazer uma malinha. Queria levar umas coisas.

O Caio, lá no meio do fogo, dando porrada, cortando árvore. Quase morre, o Caio.

Gostava de viver assim. Cheio de aventuras. Até que um dia esqueceu de colocar o capacete e foi direto para o céu, como uma labareda iluminada.

C

CAIO MATARAZZO, estudante (Lins, 1963)

O Caio, o **Sérgio Antunes** e eu nos chamávamos de Trio Irakitan. Éramos uma turma. Todo mundo contava tudo para todo mundo. Até que um dia...

S **Sérgio** 1980 poeta Rio-São Paulo **pág. 214**

Naquele tempo as meninas não deixavam nada. Beijo na boca, era uma luta. Era coisa pra mais de dois meses de namoro. Língua, nem pensar. Nem pensávamos mesmo!

Até que o Caio começou namorar a Perereca. Foi difícil acreditar, mas ele beijou na boca no primeiro dia.

Menos de um mês depois, saindo da matinê das 10 (da manhã) ele colocou os dois dedos da mão direita no meu nariz. Foi a primeira vez que eu senti aquele cheiro. Da Perereca do vizinho.

O que interessa é que o Caio parou de contar pra nós dois a evolução sexual do namoro. E a gente, morrendo de curiosidade. Ele, nada. Mas todo mundo sabia que a família dela ia pra fazenda e ficavam os dois lá na casa, assistindo *O Direito de Nascer*. Sozinhos.

Um dia, saindo de um baile de carnaval e estando a roubar leite na frente das casas para bater o álcool, acuamos o Caio. Eu e o Sérgio. Ele tinha que contar.

Depois de muito insistirmos ele concordou, mas com duas condições: a gente podia fazer só uma pergunta e ele só responderia sim ou não.

Eu e o Sérgio fomos pra outro banco, confabular. Tinha que ser uma pergunta certeira e abrangente que, com sim ou não, a gente ficasse sabendo, exatamente, até que ponto ele e a Perereca já tinham ido.

— Sessenta e nove, já fez?

Ele pensa muito.

— *Não. Mas, às vezes seis, às vezes nove.*

C

Chico C
1998
compositor
Paris
pág. 55

CAMILA AMADO, atriz (Rio, 1973)

Eu e o **Chico** já discutimos muito: quem é a mais adorável louca do planeta? Ela ou a encantadora cachopa Eugénia de Mello e Castro?

— Mais que ela, não! No máximo, empata.

Uma, dela:

Eu tinha um noivo. Tava tudo certo. Gostava dele, ele de mim, as famílias eram amigas. Tava tudo certo. Mas eu não queria mais casar com ele. Não sei por quê.

Mas não tinha nenhum motivo, nada de concreto para evitar o nosso casamento.

Até que um dia, num domingo de almoço de família, todo mundo reunido, eu peço para ele me passar o pão. Quando ele passa o pão e eu pego na mão dele, ficou aquele farelo na mão dele, sabe, o farelo?

Aquele farelo foi fundamental para acabar com o noivado. Entendeu a minha loucura? Entendeu a lucidez da loucura?

Não é maravilhosamente louca?

CAMPOS DE CARVALHO, escritor (São Paulo, 1998)

— É mais fácil eu existir do que Deus.

Ele não acreditava nem em Deus, nem na lógica e muito menos na existência da Bulgária. Talvez não acreditasse também na morte. Tanto é que, quando o coração baqueou, ele passeava tranqüilamente pelas alamedas de Higienópolis. Outono, Semana Santa. Sexta-feira, duas da manhã, hora que ele costumava dormir, "fechou os olhos", como disse a Lygia, pintora, mulher dele.

Ele foi um dos maiores escritores brasileiros deste século. Não por acreditar em nada. Mas por trabalhar como nunca com a loucura e o humor. Ficou os últimos 30 anos sem escrever. Mal-humorado. Tem sua lógica.

Ele era tão ateu que até se lembra da hora, dia e local quando resolveu romper com o forte catolicismo da família Cunha Campos, lá em Uberaba. Foi descendo a rua Lauro Borges, em frente ao Fórum. Pá!

E o destino? Será que nisso ele acreditava? Ou será que ele morreu no mesmo dia que Jesus Cristo só para sacanear? O que ele nunca poderia imaginar é o nome do motorista do carro fúnebre: João de Jesus. Verdade.

Fui ao velório e ao enterro. O gênio era primo da minha **mãe**. E eu me orgulho de ter o Campos dele no meio do meu nome.

Quatro pessoas no velório. Quatro! Nenhum amigo, ninguém da imprensa. Nídia, a sobrinha de Lygia, o marido Basile, eu e meu filho **Antonio**. Antonio estivera com ele dois dias antes fazendo uma entrevista para o *Estadão*. Quatro pessoas.

Não gosto de ver o corpo no caixão. Me dá um frio não sei onde. Antonio foi.

— Está com um sorrisinho irônico nos lábios. Nunca vi ele com a cara tão boa.

Senti muito a morte desse cara. Como parente, amigo, escritor. Mas, principalmente, como admirador. Tenho certeza que ele é um dos três que me influenciaram, que me marcaram, que me deram tesão para ser escritor.

Não tinha gente para carregar o caixão! O João de Jesus ajudou. E lá fomos nós em cortejo fúnebre de dois carros cremar o homem lá na Vila Alpina. Esquisito isso de deixar o cara lá e ir embora sem aquela imagem clássica do caixão descendo terra abaixo.

Quatro pessoas!

Tenho a sorte e o orgulho de ter aqui na minha gaveta, o último texto do Campos de Carvalho. Um pedaço de papel cortado pela metade, escrito com a mão já trêmula de quem estava com 80 anos. Chama-se "Segundo Sonho". Claro, perguntei pelo primeiro sonho. E ele:

— *Não tem primeiro sonho.*

*

SEGUNDO SONHO
(Campos de Carvalho)
Estou no palco sozinho.

C

D **Dídia**
1935
estudante
Campanha
pág. 73

A **Antonio**
1984
estudante
São Paulo
pág. 32

C

Sei que a peça vai começar daí a instantes, mas ignoro completamente meu papel, o que tenho a fazer e sobretudo a dizer.

O script está na minha mão, mas não consigo lê-lo: as letras se embaralham e o sentido do texto muda sem que haja qualquer concatenação. Tenho a vaga idéia de que um casal (dois atores famosos e tarimbados) deve chegar a qualquer momento e então eu terei que dirigir-lhes a palavra e começar a atuar.

Pela janela vejo dois vultos suspeitos tramando alguma coisa e num deles reconheço o ator com quem contracenarei.

O casal logo depois entra no palco, sem se anunciar, e eu, no desespero, chego a pedir que espere que eu leia ao menos as primeiras palavras do meu papel.

A cortina se levanta e eu decido improvisar tudo em tom humorístico e sem sentido.

CARLINHOS VERGUEIRO, músico (São Paulo, 1983)

A gente era tão duro naquela época e tão rebelde que, atendendo a milhares de pedidos de nossas mulheres Marta e **Laurinha de Mello e Souza**, mandamos fazer um terno.

Laurinha L
1990
historiadora
São Paulo
pág. 137

Um só, para os dois. Tínhamos o mesmo corpo. Um terno de linho azul-marinho.

Quando o noivo era amigo dos dois, era no par ou ímpar.

Um dia, lá pelas três da manhã, ele e o Chico me ligam, naquele estado. Ele, gritando para o Chico:

— *Ganhei, ganhei!*

Veio o Chico no telefone:

— É você mesmo? Então, perdi, porra!

— Dá pra explicar o que está acontecendo?

Os dois, sem música nenhuma para compor naquele momento, começaram a discutir qual era o meu telefone. Os dois sabiam que tinha a data de três copas. Na verdade era 258-6282. Agora fique imaginando a quantidade de combinações que os dois não fizeram até conseguirem, eufóricos, me acordar.

CARLOS HEITOR CONY, escritor (Rio, 1987)

C

Eu entrei na sala e ele estava no telefone, péssimo.

Ele, um dos maiores escritores brasileiros, se rebaixando na orelha do diretor geral da Censura. E eu, me sentindo culpado com a situação. Tinha acontecido o seguinte:

O último capítulo da minha novela *Helena* teve quatro cortes. O **José Wilker**, que era o diretor de dramaturgia da Manchete, resolveu levar ao ar sem cortes. Com a anuência do Cony, mentor e porta-voz do seu Adolfo Bloch. Acontece que tinha uma multa para cada corte não cortado. Os quatro davam uns 10 mil dólares e a editora resolveu comprar a briga. Mas o que aconteceu é que eram 10 mil dólares em cada retransmissora, em todo o país. Bem, a brincadeira tinha ficado nuns 300 mil dólares.

J | **José Wilker**
1986
ator e
escritor
Rio
pág. 123

E ali estava ele, puxando o saco dos últimos resquícios da ditadura que tanto e brilhantemente combatera. Conseguiu quebrar o galho com o homem. Alívio geral. Nós dois em silêncio. Ele:

— *É a vida, né, Prata?*

Abriu um daqueles imensos armários de jacarandá do prédio da Manchete. Dezenas, centenas de exemplares de um mesmo livro dele. Um encalhe na minha cara. Me deu um. *Pilatos*, que depois eu adaptaria para o teatro, mas nenhum ator teria coragem de montar.

— *Tá vendo o encalhe? E sabe por quê? A inteligência brasileira daquela época (74) me boicotou porque eu vim trabalhar com o seu Adolfo. Disseram que eu tinha virado direita. Porra, e quando é que eu fui de esquerda?*

(sempre, Cony, sempre)

E, nunca saberei bem o porquê, me contou essa história. Antes, para quem não conhece o Cony, ele parece um mouro. Um mouro bonito. Mas, mouro. A história:

Quando eu nasci eu era loiro, de olhos azuis, cabelo todo cacheado. Meu sobrenome vem de Cohen, judeu. Loiro. A gente morava ali em Botafogo, naquelas casas que a janela dá na calçada.

Estavam postas, a ver a tarde passar no outono de 26, minha mãe e uma tia. Passa uma cigana com filho no colo e se oferece para ler as mãos das duas. Como as duas não tinham absolutamente nada a fazer naquela tarde de 1926 a não ser cuidar de mim, fizeram entrar a mulher.

Leu a sorte das duas e depois pediu pó de café. No que as duas foram para a cozinha, me trocaram. Levaram o eu-loirinho e deixaram esse eu aqui que está falando com você. Ou seja, eu não sou eu. O verdadeiro Carlos Heitor Cony tá por aí, em algum lugar, ciganamente vagando.

Pasmo, lívido fiquei.

E a única coisa que eu consegui dizer foi:

— Vamos fazer essa novela? Já tenho até o título: *Cohen Procura Cohen.*

— *Nem pensar!*

CARNEIRINHO, médico (São Paulo, 1994)

O Carneirinho era loirinho, cabelo encaracolado. Daí, o apelido. Quando éramos jovens, ele era o mais bonito, o mais simpático, o mais bem vestido. Namorava todas as meninas da cidade. Todas as meninas adoravam o Carneirinho. Mas ele nunca se casou.

Depois, formou-se em medicina, veio para São Paulo, montou uma clínica maravilhosa. E continuou a conquistar todas as mulheres.

Via pouco, o velho amigo. Mas, cada vez, ele estava com uma mulher diferente. Maravilhosas. Aviões, como ele gostava de dizer. Mas nunca se casou, embora eu tenha ficado sabendo de dois ou três esparsos noivados nos últimos 30 anos.

Na semana passada, encontrei-me com ele na Mercearia São Pedro. Continua um tipo bonito, mas cachinhos loiros já não há mais. O pouco que lhe restou já está branco. Mas continua o mesmo: bonito, elegante, rico e, como sempre, muito bem acompanhado.

Começamos a beber e o Carneirinho, que sempre foi fraco com o álcool, desandou a me explicar por que não ficava muito tempo com a mesma mulher, por melhores que fossem.

— Acho que eu fico procurando a mulher perfeita. Sei que não tem, mas insisto. Em cada uma, depois de um tempo, eu começo a encontrar defeitos. Defeitos físicos, pequenos, mas que, com o passar do tempo, aquilo vai crescendo na minha cabeça. Por exemplo, lembra da Lurdica? Tinha joanete. Aquele joanete foi crescendo na minha cabeça. Um dia cheguei à conclusão que não podia conviver mais com um joanete.

— E a Celinha?

— Falava menas. Eis a questã.

— A Glória?

— Como é que eu podia continuar beijando aquele avião, com aquele canino superior direito? Saltado. Ninguém observava, mas eu sabia. A Bia tinha muito pêlo no braço, lembra? Parecia o bigode da Cidoca. Lembra da Paulinha? Tinha um dos bicos do seio para dentro. A Lilu você devia saber do mau hálito dela. Vinha lá do estômago, do útero, sei lá.

— E a Candinha?

— Roía unha. Até do pé. A Selminha tinha a testa muito avançada, lembrava a minha mãe. Lembra da Rose? Quando ria, dava murrinhos na mesa: não podia conviver com aquilo.

— E a Joana? Você ficou noivo da Joana também.

— A Joaninha era legal, mas tinha orelhas enormes. Nunca reparou? Eu tinha a impressão que cada dia estavam maiores. A Maria C. não tinha orgasmo. Fiz de tudo. A Julinha, quando tinha orgasmo, virava os olhos para cima: parecia que estava tendo um ataque epilético.

— E a Carmen Lúcia? Aquela não tinha nenhum defeito.

— Como não? Não sabia quem era a Sarita Montiel e muito menos o Hemingway. E O Velho e o Mar, *ela achava que era o avô dela. A Carlota também, nunca tinha lido um livro. Aliás, tinha lido o* Caminho Suave.

— Mas todo mundo achava que você ia se casar com a Ledinha.

— Era linda, mas o cabelo meio pixaim. Meus pais não iriam gostar. A Léia, por exemplo, tinha dois dedos do pé meio grudados. Morria de vergonha dela, na praia. A Gegê

C

tinha o lábio inferior meio viradinho, lembra? Boca pequena. E por falar em boca, a Lucinha beijava de boca fechada, pode? Ao contrário da Dequinha que mordia a minha língua toda vez.

— E aquela fazendeira de Ribeirão Preto?

— Marina? Peito caído. Já a Ciça tinha o joelho caído. Já viu mulher de joelho caído? A Marcinha era perfeita, mas a mãe dela rezava terço todo dia. E ela morava com a mãe. Parecia a casa do Nelson Rodrigues.

— E aquela francesa que eu te vi uma vez na...

— Michele. Você não viu os pés dela, né? Então não fala nada. Fora isso, tinha aquele narizinho arrebitado, lembra?, de onde saíam chumaços de pêlos. E não era muito chegada a uma Sabesp. Toda mulher tem seu defeito, meu amigo. Mais dia, menos dia, você tem que enfrentar o inimigo. A Letícia não falava inglês. Levei ela para a Europa e passei vergonha.

— Então você nunca vai achar uma mulher perfeita, Carneirinho.

— Um dia eu acho, um dia eu acho.

Ia me esquecendo de dizer que neste encontro com ele na Mercearia, ele estava com um garoto, com pouco mais de 20 anos, loiro, cabelos encaracolados, elegante, educado e tatuado, que ele me apresentou como "primo".

Sei não, Carneirinho, sei não.

Marta M
1974
jornalista
e escritora
Araraquara
pág. 168

CELSO CURY, jornalista (Rio, 1976)

Carnaval, eu e **Marta** vamos para Recife, a convite do **Zé Luiz Franchini Ribeiro.** Emprestamos o pequeno apartamento da rua Rainha Guilhermina, no Rio para ele e um amigo.

José Luiz J
1971
administrador
São Paulo
pág. 116

Era tão pequeno que a gente tinha acabado de se casar e uma porção de presentes ainda estava debaixo da cama, por absoluta falta de espaço. Inclusive uma batedeira de bolo, ainda virgem.

Quando voltamos, os dois estavam todo arranhados.

— O que foi isso?

— *A batedeira.*

— Batedeira?

— *É a que vocês guardam debaixo da cama. Como é que vocês fazem?*

CHICO BUARQUE, compositor (Paris, 1998)

Éramos três do *Estadão* lá em Paris, sem contar o meu querido **Reali Jr**: ele, o **Mateus Shirts** e eu. Os três, cronicando. Para evitar que a gente escrevesse a mesma coisa, driblasse o mesmo tema, trocávamos fax (o compositor é contra e-mail).

No primeiro sábado, antes de sair a primeira dominical dele, chega o fax: "Com Os Meus Botões". Um poema, como me diria depois o flamenguista Aloisio Maranhão, nosso redator-chefe. Realmente um poema. Em Paris, entre os colegas jornalistas, não se falava noutra coisa.

Leio orgulhoso. Afinal, eu que tinha convencido o Chico a escrever crônicas na Copa. Tinha certeza que ia dar samba. A crônica falava dos times de botão dele Chico e dos que todos nós tínhamos nos anos 50 e 60. Pedaços de plástico concentrados dentro de uma caixa de catupiri, com direito a talco e flanelinha. E todos os botões tinham nome, é claro. Mas tinha um pedaço na crônica:

Certa vez fui apresentado a um antigo centromédio do Santos, o Formiga. Depois de um breve diálogo, o assunto esgotado, sem saber por que continuei a encará-lo. O silêncio se prolongava, incômodo, e ainda encasquetei de colocar a mão no ombro do Formiga. Com o polegar, comecei a pressionar de leve a sua clavícula, e me lembro que ele ficou um pouco vermelho. Então me dei conta de que, pela primeira vez na vida, conversava pessoalmente com um botão.

Muito bonito. Só que eu gritei:

— Passarinho! Isso é passarinho dele!

— O quê que é passarinho?, me perguntou o Mateus abrindo uma garrafa de uísque com os dentes.

— O dedão na clavícula é passarinho!!!

C

R **Reali**
1998
jornalista
Paris
pág. 194

M **Mateus**
1985
brasilianista
São Paulo
pág. 170

Deixa eu explicar o que é um passarinho. Em 54, o Nelson Rodrigues escreveu uma crônica (acho que na *Última Hora*, Samuel Wainer) dizendo que a imprensa estava muito chata por falta de passarinhos. E explicava que antigamente era diferente. Que hoje (54) não se mentia mais. Uma vez houve um incêndio na Lapa, mandaram um repórter para lá e reservaram a primeira página. O repórter voltou desanimado: apagaram o incêndio com um regador de jardim. Mas não aconteceu nada que dê notícia? Bem, disse o repórter, tinha um passarinho dentro de uma gaiola muito nervoso. Foi o bastante: Fogo Ameaça Fauna na Lapa.

Era isso: o Nelson estava dizendo que os jornalistas brasileiros não mais aumentavam a notícia, não criavam nenhum passarinho. E nas nossas conversas intercronistas a palavra passarinho é muito corriqueira. Eu, por exemplo, me considero um passarinheiro de marca maior.

Então, pra mim, o dedão na clavícula do Formiga era passarinho. Estava na cara que era. Basta conhecer um pouquinho ele. Aliás, um bom, um excelente passarinho. Mas, passarinho.

Passo um fax para a casa dele lá em Marais. Não deu dois minutos, toca o telefone. Era ele. Indignado. Não fala oi, nem nada. Raivoso, atacando e se defendendo ao mesmo tempo, parecia a seleção da Nigéria em seus desengonçados momentos de glória. Ele estava mesmo bravo comigo:

— *O dedão na clavícula é passarinho? O dedão na clavícula do Formiga é passarinho?*

Nunca tinha visto o cara assim. Dei até um passo atrás lá no meu quarto. Fiquei sem jeito. Achei que eu tinha pegado pesado com ele. Afinal, a primeira crônica dele e eu dizendo que o dedão na clavícula era passarinho? Mas fiquei na minha:

— Desculpa lá, mas é. Você vai me desculpar muito, tá tudo muito bom, muito bonito mesmo, um poema e não sei mais o quê. Até você ficar sem palavras olhando para a cara do Formiga, tudo bem. Colocar a mão no ombro, tudo bem. Mas jogar botão com a clavícula do Formiga, pra mim é passarinho. Um excelente passarinho, diga-se de passagem.

— *Você acha mesmo que o dedão na clavícula do Formiga é passarinho?*

Eu achava mesmo:

— Acho!

Ele abre uma risada contagiante e mal consegue dizer, triunfal:

— *Cara, eu nunca vi o Formiga na minha vida!!!*

CLEONICE DE ARRUDA CAMARGO, dona-de-casa (Lins, 1960)

No começo da década de 60 Gagarin subiu ao espaço e a Cleonice chegou em Lins.

Casada. Recém-casada com o genial ator e doutor Laurival, médico, colega do meu pai.

Ela tinha vinte e poucos anos e era a mulher mais linda que eu, com 14, já tinha visto. Meu Deus!, os decotes, meu Deus! Pra mim, a Cleonice era uma senhora. Vinte e dois, vinte e três? Distintíssima. O marido era anestesista. E era assim que eu me sentia quando ela ia visitar a minha mãe: anestesiado.

Ela tinha um quê de Mitzi Gaynor, Sarita Montiel e Gina Lollobrígida. Pegando o melhor de cada uma delas.

Durante toda a minha adolescência ela cumpriu aquele papel de me anestesiar nas minhas intermináveis sessões de onanismo juvenil.

CLEVELÂNDE PRATA, fazendeiro (Uberaba, 1959)

Quando eu conheci o tio Clevelânde, ele já não tinha mais a barba. Além de se chamar Clevelânde (era pra ser Cleveland) tinha como irmãos o Atos, o Portos e o Aramis.

Ele nunca fez a barba. Era imensa, ia pra baixo da cintura, crescendo desde a adolescência. Aos 70 anos era branca como algodão. Vi fotos.

C

Até que um dia, pra surpresa de toda a família e toda a cidade, ele amanheceu — tarde — sem barba. E, puto da vida, explicou:

— *Foi aquele filho duma égua do Aramisinho (sobrinho-neto dele, coitado) que me perguntou se, quando eu dormia, eu colocava a barba pra dentro ou pra fora do lençol. Merda, eu nunca tinha pensado nisso na minha vida. Nunca tinha reparado. Tava há três noites sem dormir. Punha pra dentro, punha pra fora, punha pra dentro, punha pra fora. Cortei de madrugada. Por isso que acordei tarde. Passa o pão.*

COH, do vôlei (São Paulo, 1999)

Uma quinta-feira estou eu a trabalhar neste livro, a minha empregada pede dinheiro. Pego o carro e vou até um 24 horas. Ao estacionar, pára um carro branco do meu lado. Placa COH-0350. Sai uma moça com mais de um metro e oitenta, loira, olhos azuis, toda vestida com roupa de vôlei. Fui ao caixa, ela ao telefone.

Coincidência ou não, saímos ao mesmo tempo. Ela entrou no carro, sentou-se e, num gesto ultra-rápido, tirou a camiseta. Olhei. Por baixo um sutiã, top de vôlei. Fui embora. Com ela na cabeça.

No dia seguinte, recebo um e-mail.

Cruzamos ontem às onze horas. Quem sou eu? Beijos!!!

Meu Deus, era ela. Respondo:

Ainda bem que você me achou, Coh. Pensei que nunca mais ia ver você tirar a camiseta. Beijos!!!

Dois dias depois, na cama:

— Você não presta!

— Eu???

Quem disse a primeira frase?

Ela foi embora. Nunca mais vi a Coh, a Cê-ó-agá, nos poucos e bons momentos de intimidade. E todo jogo de vôlei que tem, vejo na televisão. Mas não acho mais aquela levantadora. Não sei o nome dela.

CORONEL PAES, militar (São Paulo, 1974)

C

S | Samuel
1980
jornalista
São Paulo
pág. 212

Quando o gerente do Banco Nacional da praça Buenos Aires, com o telefone na mão, me disse:

— **Samuel Wainer**,

eu já sabia que coisa boa não podia ser. Eram dez horas da manhã. E quando eu atendi, o Samuel disse:

— Senhor Campos?

Era como Campos de Morais — meu nome do meio — que eu havia assinado um artigo na página 2 da *Última Hora* daquela segunda-feira. Era um texto curto sobre a convocação da seleção brasileira para a Copa de 74, na Alemanha.

Saí do banco, na banca em frente comprei o jornal onde eu era editor. Reli meu texto. Terminava assim:

Eu só espero que o Paulo Cesar Caju deixe em paz o Enéas, que acabou de sair do Exército, sabe-se lá com que formação.

Entro na redação, todo mundo me olhando como se eu estivesse no corredor da morte. Plínio Marcos, experimentado no setor, me disse para não engrossar.

Entro na sala do Samuel, está lá uma espécie de tenente a paisano. Na pochete podia-se ver a forma de um revólver de cano curto.

Samuel me apresenta ao militar como senhor Campos, contendo o riso e a preocupação. O tenente pede que eu o acompanhe até o Segundo Exército. Atravesso novamente a redação que me acompanha em silêncio. Dou um sorriso bem amarelo.

No chevetinho, o tenente puxa papo e diz que o irmão, que mora em São José dos Campos, quer estudar jornalismo. Se a profissão é boa.

Quando chegamos no quartel ele me passa para um cabo e diz:

— Quero deixar bem claro que a minha missão acabou aqui.

Sou acompanhado por um longo corredor, como se o Ibirapuera fosse muito maior do que eu imaginava. Lá no fundo, a sala do coronel. Na porta uma plaquinha: Serviço Secreto. Cel. Paes.

Entro, o cabo fecha a porta. O coronel se levanta. Mas é como se continuasse sentado. Muito baixinha a autoridade. O que me preocupava ainda mais. Devia ter lá seus centimentrais recalques.

Ele me olha e bufa. Depois abre a porta e urra pra fora:

— *Porra, cadê o crachá cor-de-rosa?*

O cabo, coitado, tinha esquecido de fazer a minha identificação. Depois de devidamente identificado e com um crachá cor-de-rosa no peito — escrito Campos —, sou convidado a me sentar.

O coronel fica andando em volta de mim com uma porção de xerox do meu artigo. E começa:

— *Saiba, senhor Campos* (vontade de rir, apesar de tudo) *que não é porque o senhor é uma merdinha de jornalista que eu te trouxe aqui. Se eu quiser, mando chamar o Frias também. E o senhor Wainer que se cuide.*

Samuel Wainer havia publicado uma foto imensa na primeira página do jornal, no Dia da Pátria, com militares batendo continência. Só que ele inverteu o negativo e estava todo o alto escalão do Exército brasileiro batendo continência com a mão esquerda. Pura e corajosa provocação.

Depois de quatro horas e meia de esporro e alguns petelecos na minha orelha, ele resolve que o tenente vai me levar de novo até a redação, vou escrever outro artigo do mesmo tamanho, elogiando os rapazes que servem o Exército.

— *Entendeu, seu Campos?*

Volto para a redação, de orelha quente. Escrevo o artigo. Nele faço uma porção de sutis trocadilhos com Paes, pais e país. Joana Fomm, colega de redação e lar, olha por cima e diz que eu estou doido.

— O cara não vai entender nada.

O coronel leu, mostrou pra mais uns dois ou três subalternos e aprovou. E eu disse:

— Coronel, fiz o que o senhor mandou, humildemente. Mas, na mesma máquina onde datilografei este artigo, escrevi o meu pedido de demissão. Nunca mais vou escrever. O senhor nunca mais verá um artigo assinado por mim, Campos de Morais!

O coronel ficou feliz, sorriu junto com os subalternos. Tinha cumprido a sua missão.

Meses depois foi exonerado e passado para a reserva por envolvimento direto na morte de Wladimir Herzog e Manoel Fiel Filho.

O Campos de Morais ficou na dele.

CRISTINA KOWARICK, do Sesc (São Paulo, 1970)

Foi em Lins, em 1962, que tudo começou.

Eu tinha 16 anos, virgem. Ela tinha 23, não devia ser virgem, morava em São Paulo e trabalhava no Sesc.

Noivado da minha irmã Rita. Minha família e a família do Zé Eduardo. Em Lins. E apareceu o Alcyr Fernandes, do Sesc de Lins, com ela.

Teve dança e fui, tremendo, tirar ela para dançar. Ela colou o rosto. Foi o primeiro rosto-colado de Lins e região!

Foi um escândalo. Minha mãe não sabia o que dizer para a mãe do noivo. Imagina como deve ser a família da noiva...

— Meu Deus, o que é que não vão pensar?

Tiveram que chamar o tio Padre para que ele convencesse o padre Rebouças a não me espinafrar na missa das dez.

Mal dormi. Quando acordei, a notícia já corria pela cidade. Os rapazes mais velhos morrendo de inveja: rosto colado!

Depois do almoço, todo audaz, fui até o hotel e convidei a moça (quase uma senhora, para mim. Uma vagabunda, para minha mãe) para ir até a pracinha central onde disse poemas.

Inclusive o Tertuliano, frívolo e peralta, que era como eu estava me sentindo.

Ela foi embora.

Quatro anos depois, mudo para São Paulo, vou ao Sesc ver se encontro o sonho.

C

— Casou e mudou. Para Paris. Hoje é madame Christina Kowarick.

Brochei e voltei para o Banco do Brasil para exercer as minhas funções de auxiliar de escrita referência 050.

Mais dois anos: 1970.

Já com uma peça em cartaz, *Cordão Umbilical*, jantava no Gigetto, me sentindo da classe. Quem entra? Ela.

Subiu um troço gelado dentro de mim. Claro, era ela mesmo, oito anos depois. Agora, eu com 24, ela 31.

Ela estava com uma turma, recostada no balcão, esperando mesa. Linda. Melhor ainda. Fiz um esforço filho da puta pra ter coragem:

— Lembra de mim?

Ela deu uma geral e balançou a cabeça negativamente. Não.

— Lins. Você era do Sesc.

Ela se esforçou um pouco:

— *Eu visitava três cidades por semana. Desculpa.*

Coloquei o rabo entre as pernas e voltei para a minha mesa. Desculpe, foi engano. Foi quando eu me lembrei do Tertuliano, frívolo e peralta.

Ela já estava sentada. Segunda tentativa:

— Tertuliano, frívolo e peralta, que foi um paspalhão desde fedelho, tipo incapaz de ouvir um bom conselho, tipo que, morto, não faria falta.

Disse isso nas costas dela. Ela parou o garfo no ar, foi se virando, virando, enquanto eu poetava. Em pé, me deu um abraço que quase me matou.

Luiz Carlos L
1971
compositor
São Paulo
pág. 150

Levei ela para o Jogral, do **Luiz Carlos Paraná**, que era a 50 metros. Dei Old Eight pra ela. Me levou para a casa dela. Tinha se separado e morava com a filhinha Isabel (Bel Kowarick, hoje atriz e estrela iluminada).

Me comeu. E eu dei.

Depois ela enrolou fumo com uma mão só. Já viu isso?

No ônibus, a caminho do trabalho no Banco do Brasil, levava o cheiro dela. Nem ia contar para os colegas, que eles não iam acreditar.

DADO, estudante (São Paulo, 1969)

Aquele prédio atrás do Teatro Maria Della Costa chama-se Paris-Roma-Rio. Eu morava no Roma.

Ali, eu cruzava no elevador com o ator e diretor Eugênio Kusnet. Nunca tive coragem de dizer para ele: ando escrevendo umas peças. Burro. O Kusnet morava no oitavo e eu, o Dade e o Luiz Carlos, no segundo. Os dois na medicina, eu na economia da USP. Na televisão, *Beto Rockfeller* me anunciava que dava para se fazer coisa boa na televisão.

O Luiz Carlos dormia num quarto sozinho. Mas com um 38 debaixo do travesseiro. Eu e o Dado no outro, ao fundo. A gente deitava e, já no escuro, ouvia a Gazeta no seu último programa esportivo. Depois, a gente dormia.

E não é que um dia eu comecei a ouvir um barulho estranho dentro do apê? Como se fosse alguma pessoa se rastejando. Um barulho meio ritmado e que ia aumentando de altura e intensidade. Virei a cabeça bem devagar, com medo e vi o vulto sair correndo do nosso quarto com alguma coisa nas mãos.

O Luiz Carlos também estava ouvindo e, no que eu levantei, ele já estava no corredor de arma em punho. Quase atirou mas o vulto entrou na cozinha.

— Pára, senão eu atiro.

E a voz do Dado veio lá da cozinha:

— *Sou eu! Sou eu!*

Acendemos a luz e ele entrou na sala, suado.

— *Que quê tão olhando?*

— Como, que quê tamos olhando? Você saiu correndo do quarto.

— Podia ser um ladrão.

Aí ele disse com a maior naturalidade:

— *Não se pode nem bater uma punhetinha sossegado, porra!*

— Como é que é?

A explicacão dele: abriu um jornal debaixo do lençol e mandou ver. O barulho que a gente ouvia era o bater do braço dele no papel.

D

— E correu para a cozinha para que, porra?

Voltando para o quarto:

— *Pra jogar o jornal no lixo.*

E fomos todos dormir na maior naturalidade, como se nada tivesse acontecido. Era só a punhetinha, porra.

Fomos sonhar com as nossas namoradas de Lins. Eu, com a **Ticá Beozzo.**

Ticá T
1968
estudante
Rio Claro
pág. 231

DAGOMIR MARQUESI, jornalista (São Paulo, 1983)

Dagomir I. E único. Jamais existirá outro igual.

O primeiro a perceber que o muro ia cair, o primeiro a atacar a farra do boi, o primeiro a me apresentar a **Luciana De Francesco**, sua namorada.

Luciana L
1985
fotógrafa
São Paulo
pág. 146

Campeão de War.

Foi uma ventosidade monumental que entrou para a história como o já famoso e clássico Espada Azul.

Estávamos eu, ele, o Flávio Del Carlo, o Rogério Nacachi e mais uns quatro ou cinco, na sala do primeiro andar da casa deles. Um bando de vagabundos jogando War no chão. Todo mundo cheio de exércitos e muito vinho. Fora as outras coisas.

Foi me dando vontade de peidar. Sei lá por que mas, naquele momento, resolvi fazer aquele teste de colocar fogo no gás exalado, tendo em vista a posição em que eu me encontrava, todo esticado no chão.

Abri a perna, acendi o isqueiro, aproximei a chama e o estrondo foi tamanho que o Dagomir que estava lá em cima, no banheiro, desceu de calça arriada e tudo, com um rolo de papel higiênico na mão. Declararia, depois, ter achado que tinha estourado o bujão de gás e levado nós todos pelos ares.

Além do estrondo, levantou-se uma labareda azulada que derrubou todos os exércitos, acabando com o jogo. Parecia uma espada de raio laser.

Portanto, crianças, não queiram fazer o teste. Pega fogo, mesmo. Tenho seis testemunhas.

DANIEL FUNES, escritor (São Paulo, 1997)

D

— *O meu humor é parecido com o seu!*

Então tá, hein? Na minha vida de modesto escritor do presente, nada me dá mais trabalho do que leitores a me pedirem opinião sobre o que escrevem. Calhamaços caem sobre a minha cabeça e meu saco. Você não pode imaginar a quantidade de gente que tem por aí achando que sabe escrever.

E esse cara, surgido sabe-se lá de onde, teve a cara-de-pau de descolar o meu telefone que não consta na lista.

Ao dizer o nome do livro (*Bawakawa*) tive a clara convicção que vinha mais merda. Uma pessoa normal não escreveria um livro com este nome. Nem uma anormal. Deixou na portaria. Da portaria veio para o canto da minha mesa de trabalho. Eu ficava olhando para ele. E ele: me lê, me lê. Bato os olhos. Uns desenhos parecidos com o Carlos Zéfiro.

E o doido a insistir: já leu, já leu?

Meu filho Antonio, 20 anos, bate o olho:

— Esse cara é mais doido que você, pá!

Resumindo: esse filho da mãe é mesmo um danadinho. Comecei a ler o livro e, numa golfada só, fui até o fim.

Ele tinha razão: o humor dele parece com o meu. Meu filho tinha razão: ele é mais doido do que eu. Não sei qual é a vantagem de ser mais doido do que eu, mas é.

O problema é que eu não consigo ser mais doido do que eu mesmo. Ele consegue. Ainda bem. A espécie está conservada e em excelentes mãos, já que cabeça ele não deve ter há muito tempo.

DANUZA LEÃO, escritora (Califórnia, 1994)

No telefone:

— *Mario?*

Ela queria saber se eu ia na festa da Brahma lá em Los Gatos. Eu não ia, devo confessar. Meu estômago e meu intestino não estavam mais conversando um com o outro. Tinha tomado um remédio. Mas a Danuza! Sempre quis conhecer a Danuza. Ela queria uma carona.

D

Samuel S
1980
jornalista
São Paulo
pág. 212

— Te pego em 15 minutos.

Conhecia bem ela. Nunca tinha falado com ela. Mas o **Samuel Wainer** gostava de me biografar a ex-mulher, a mãe dos seus filhos. Tinha a maior curiosidade em conhecer. E ela devia me conhecer um pouco, através da Marta Góes, amiga dela, como confirmaria depois.

Fui buscá-la no hotel cheio de maneiras, e logo de cara cometi a primeira gafe. Perguntei se ela estava mandando a matéria para o *Globo* de fax. Ela foi gentil, educada:

— *JB*.

Entramos na estrada, eu cheio de dedos fazendo esforço para dizer bobagens inteligentes, acender o cigarro dela e outros maneirismos. E eis que a barriga dá uma pontada forte. O remédio bateu, pensei. Mas eu seguro. Cinqüenta milhas, eu seguro. Nessa hora me lembrei do **Dênio Benfatti**.

Dênio D
1987
urbanista
São Paulo
pág. 69

Cabelos ao vento, lá vamos nós, que o carro era conversível. Ela falando do seu próximo livro (uma idéia genial) e eu olhando no rosto dela. Um pouco de **Pink Wainer** aqui, uma saudade do Samuel ali. Não dava para ver se o joelho era igual ao da irmã, a Nara. Mas devia ser.

Pink P
1974
artista
plástica
São Paulo
pág. 191

A pontada agora foi maior. Tenho que parar. Na estrada não pode. Tem que entrar em alguma cidade. Mas como é que eu vou dizer para aquela mulher elegantérrima, cheia de maneiras gostosas, que eu preciso fazer cocô? Penso que deve ter algum capítulo no livro dela onde se trata disso: da indelicadeza de um homem avisar a uma mulher, a 100 milhas por hora, que precisa fazer cocô.

O meu intestino parecia que saía da barriga e enforcava o meu pescoço.

Ela puxava assuntos interessantíssimos e eu só no "sim, não, ah, é?", perdendo o papo dela. Ela já devia estar me achando um penta.

Explico que preciso ir no banheiro, sem maiores detalhes. Claro, ela me diz, aproveito para comprar cigarros. Entro numa cidadezinha, paro num posto e sumo. E não faço. Não faço! Volto sabendo que, mais para a frente, a coisa vai piorar.

Andamos mais umas 10 milhas e agora ela fala do trabalho dela na televisão e eu não ouço mais nada. Nenhuma cidade à vista.

O deserto californiano. Eu devia estar verde. Será que ela está reparando que eu estou suando? Deve ter um capítulo lá no livro dela sobre homens que suam, fedem. Deve ter. Estico o pescoço, nenhuma cidade.

Explico a situação para ela. Ela acha normal, com essas comidas americanas horrorosas. Tem uma seta para uma cidade. Eu entro. Mas a cidade era longe. Meu medo agora era não conseguir chegar a lugar algum. Fazer ali mesmo, no carro, no banco, ao lado dela.

— É o seguinte: eu estou mal mesmo. Se não aparecer logo uma cidade, eu vou parar e fazer no mato. Você jura que não conta pra ninguém?

Ela olhou em volta, tudo deserto.

— *Árvore?*

Ela me olhou e deve ter pensado: "como é que esse cara vai se limpar?" Mas maneirou:

— *Fica tranqüilo.*

Além de não ouvir mais, eu já não falava. Não podia gastar nenhuma energia. Qualquer esforço poderia ser fatal.

Um posto! Ela me espera no carro, maravilhosa. E eu lá dentro, horroroso. Achei que estava com hemorragia estomacal. Voltei e comuniquei a desgraça.

— Tenho que voltar para São Francisco. Vamos achar um táxi para você.

Ela quer voltar comigo, fica preocupada com o meu estado. Eu insisto, estão esperando ela em Los Gatos. Estou com vontade de novo. Corro! Ela consegue chamar um táxi pelo telefone, não sei de que maneira.

Vou embora rapidamente. Tenho que achar outro posto. Olho pelo retrovisor e vejo a modelo encostada num poste de estrada, no interior da Califórnia, esperando o táxi, o sol batendo forte na cara dela, o vento mexendo com seus cabelos loiros, linda. Parecia um anúncio da Coca-Cola. Ao fundo, a poeira faz um rodamoinho e, lá dentro, eu vejo o Mao Tsetung e o Samuel Wainer a me recriminar.

D

DEBORAH, aeromoça (Paris, 1994)

Viaja muito. E foi por isso, que a gente começou a transar por telefone. Nunca estive em Paris em 94. Mas ela, sim.

Faz uns dois anos que eu não vejo a comissária. Mas a gente tem se falado. Tem se falado bem. E transado muito.

Não deixa de ser interessante fazer amor com uma mulher que está em Praga, Manaus ou Nova Iorque. Sim, porque depois a gente fica deitado na cama, ela dizendo do frio que está fazendo em Moscou, me descreve o quarto, me dá um beijinho, vira pru canto e dorme.

E não pede um copo d'água, benhê.

DEGAS, farmacêutico (Lins, 1964)

Toda cidade tem o corno que merece.

O Degas era O corno. Tinha outras aptidões, mas nasceu mesmo para corno. Quando era pequeno, seu pai devia dizer: esse menino, quando crescer, vai ser corno.

Casou, como todo corno que se preza. Era um corno feliz, o Degas. Desfilava sua cornice pela cidade sempre com a mão no ombro da esposa. Isso de colocar a mão no ombro da mulher é uma característica dos cornos. Todo corno faz isso. Mas nem todo mundo que faz isso é corno. Mas está a meio caminho.

Pois teve um bingo lá em Lins, na quadra do Comercial. Devia ter umas duas mil pessoas. O terceiro prêmio era uma lambreta. O segundo, um Gordini. E o primeiro, Simca Chambord. E não é que o Degas ganhou a lambreta e o Simca? Dizem que os cornos são muito bafejados pela sorte.

E quando ele estava atravessando a quadra para receber a chave do Simca, depois de já ter ganho a lambreta, acompanhado da esposa (com a mão no ombro, como convém), ouviu alguém gritar lá da arquibancada:

— Você é largo, hein, Degas?

No que ele respondeu:

— *Eu, não! É ela!*

DÊNIO BENFATTI, urbanista (São Paulo, 1987)

Deve ter sido aquele leite tirado da vaca, na hora. Ainda meio quente. O que eu sei é que bateu a dor, na estrada. Insuportável vontade.

Eu voltava de Fronteira, em Minas, da fazenda dele. No meu carro, eu, o **Antonio**, a Marjorie, então mulher dele e a Clara, filha deles. O Dênio tinha vindo noutro carro.

Acho desagradabilíssimo ter uma dor de barriga diante de uma mulher tão bonita e elegante como a Marjorie. Anos depois, aconteceria a mesma coisa comigo e com a **Danuza Leão**. Acho que qualquer psicólogo de porta de escola explicaria esse problema facilmente.

Eu já devia estar verde quando parei na Peixoto Gomide para deixar as duas. Antonio e Clara dormiam. Já era madrugada.

— Marjorinha, me dá a chave que eu vou subir correndo, fazer lá em cima e volto. Fica com as crianças.

O prédio não tem elevador. Eles moravam no terceiro. Entre o primeiro e o segundo a coisa desandou. Literal e inevitavelmente. Subi correndo, ofegante, esparramando tudo pelas escadas de mármore.

Ele ouviu a minha desastrada subida e, quando eu cheguei, já estava com a porta aberta. Passei correndo por ele à procura do banheiro.

— Meu, tô cagando!

Correndo ainda ouvi ele dizer, como sempre, calmamente:

— *Percebi.*

Tirei a carteira e o talão de cheques da calça e entrei vestido debaixo da ducha. Devo ter ficado lá uma meia hora até limpar tudo. Nesse meio tempo ele e a Marjorie pegaram as crianças lá embaixo.

Ele me deu uma bermuda e uma camiseta. Pedi rodinho, pano. Lavei o chão, as paredes, tudo.

Uma semana depois, me encontro com ele para devolver as roupas (lavadas) e ele me diz:

— *Tá cheirando até hoje. Eu e a Marjorie já olhamos em todo o lugar. Tem algum resquício. Estamos pensando em mudar. O cheiro! Não sei onde é, mas que tem, tem.*

D

A **Antonio**
1984
estudante
São Paulo
pág. 32

D **Danuza**
1994
escritora
Califórnia
pág. 65

DENISE FRAGA, atriz (Serra da Estrela, 1992)

A gente devia estar a uns 140. O barulho foi o de uma explosão. O capô veio de encontro ao pára-brisa estilhaçando o vidro dianteiro.

Foi uma luta, mas consegui parar no acostamento ouvindo freadas e xingamentos. O coração a mil. Olho para a cara dela. Calma, tranqüila, a Fraga:

— *Abre o porta-malas que eu resolvo isso.*

Havíamos saído de Covilhã bem cedo. Ela ia pegar o avião de volta ao Brasil. Ela e as pernas mais bonitas do teatro brasileiro, as da Ileana Kwasinski.

Saímos do hotel e já tinha parado de nevar. Mas o vidro estava encardido, com neve cheia de poeira que o pára-brisa não resolvia. Fomos a um posto, o português ainda deu uma olhada no óleo e não fechou aquela porra direito. Pá! Na cara.

Ela saiu do carro, pegou uma mala dela que tinha umas cordinhas amarrando. Pegou as cordinhas, amarrou o amarrotado capô de uma maneira que dava para ir, devagar, até Cascais, minha casa.

O que mais me surpreendeu foi a facilidade com que ela trabalhou aquelas cordinhas. A coisa ficou firme. E eu, pasmo.

— *Sabe o que é? Fiz muito teatro mambembe no começo da minha carreira. Amarrava um cenário inteiro na capota de um fusquinha meia-um. E nunca caiu. Pode correr que não solta, não!*

DIAS GOMES, escritor (São Paulo, 1999)

cena 01 : igreja : int : dia

Ozias toca contrabaixo na banda da Igreja. É uma igreja bem modesta, simples. A maioria dos seus freqüentadores parece ter vindo do Nordeste do Brasil. Nos bancos, uma mulher pisca para ele. É a esposa. Ao lado, o filho de seis anos, com vontade de rir.

cena 02 : biblioteca : int: dia

Biblioteca da casa do escritor Alfredo, um dos melhores e mais famosos do Brasil, 76 anos. Firme, trabalhando, sorrindo. No sofá, sua mulher Bernadete, loira, bonita, 40 anos mais nova que ele.

Conversam sobre Puccini. Alfredo diz que vai estrear em São Paulo a ópera *Madame Butterfly*. Vão para São Paulo ou não?

cena 03 : cozinha de Ozias : int : dia

A mulher de Ozias fazendo coxinhas "pra fora". Ozias conta que conseguiu o emprego na frota de táxi. Se abraçam. Até então, percebe-se nos diálogos, Ozias estava desempregado. Há muito tempo.

cena 04 : sala de jantar : int : noite

Alfredo, Bernadete com as filhas Mayra, onze anos e Luana, oito. Comem e conversam sobre ir ou não ver Puccini em São Paulo. Alfredo beija Mayra que falou uma coisa engraçada qualquer.

cena 04-a : aterro do flamengo : ext : dia

Passa um táxi. Mostra a beleza do aterro. Dentro, Alfredo e Bernadete. Corta do táxi para:

cena 05 : ruas : ext : noite

Ozias, feliz, em várias cenas, pelos lugares mais manjados de São Paulo, dirigindo seu táxi.

Termina a cena com Ozias falando mal das ondulações do asfalto da cidade. O passageiro pega a brecha e fala mal do Pitta.

cena 06 : aeroporto : ext : dia

CAM começa no asfalto da pista. Avião descendo (sem *merchandising*, por favor!).

cena 06-a : frente aeroporto : ext : dia

Alfredo e Bernadete entram num táxi. Não, não é o táxi de Ozias. Ainda não.

cena 07 : sala Ozias : int : noite

Ozias, a mulher e o filho assistem à novela das oito. Ele se levanta e pega a chave do táxi. A mulher reclama:

— De novo, hora-extra, Ozias?

— O aluguel está atrasado, esqueceu?

cena 08 : frente hotel : int : noite

Alfredo e Bernadete saem do hotel para a ópera. Ele de terno e gravata, elegantérrimo. Entram num táxi. Não, não é o de Ozias.

cena 08-a : palco do teatro municipal : int : noite

Cena final de *Madame Butterfly*. CAM recua e vemos o casal aplaudindo. Ela dá um beijo nele, como se agradecendo a vinda.

As cortinas vermelhas do palco se fecham.

cena 09 : frente teatro : ext : noite

Os dois em dúvida. Não sabem se vão até uma cantina comer ou pedem um sanduíche no quarto do hotel. Um dos dois está cansado. Resolvem ir para o hotel.

Entram num táxi que não é o do Ozias.

cena 10 : ruas de são paulo : ext : noite

O táxi de Ozias andando vazio.

cena 11: elevador : int : noite

Bernadete e Alfredo no elevador do hotel : int : noite

— *Você está pensando a mesma coisa que eu?*

— Voltar? Comer fora?

cena 12 : frente hotel : int : noite

Os dois entram num táxi que ainda não é o do Ozias, que:

cena 13 : ruas de são paulo : ext : noite

Ozias roda vazio.

cena 14 : restaurante famiglia mancini : int : noite

Alfredo posa para uma fotografia a pedidos do garçom Geraldo, nordestino.

cena 15 : frente famiglia mancici : ext : noite

O porteiro insiste com Alfredo para que ele pegue um dos táxis do ponto. Alfredo vê o carro de Ozias.

— *Vou pegar aquele ali que é de frota. Dar uma força pru garoto.*

Entram no carro do Ozias.

cena 16 : carro ozias : int : noite

Avenida Nove de Julho, uma noite linda. Fria, mas muito bonita. Outono. Folhas na calçada.

Provavelmente Alfredo está explicando para Ozias o que foi a Revolução de 32, pois estavam na Nove de Julho. E, talvez, só para sacanear os Estados Unidos, ele, que tanto combatera o capitalismo, tenha feito sua última cena de humor, tentando entrar nos Estados Unidos pela esquerda. O cimento do capitalismo ianque, que ele tanto combatera, bateu na sua cabeça. Correm algumas pessoas. Param carros. Alfredo está morto.

cena 17 : quarto mayra : int : dia

Mayra está assoviando a música de *O Bem Amado.* Pela Internet, entra na tela:

A Morte do Bem Amado.

Ela vai aproximando o rosto da tela.

Seu rosto refletido na tela. Um par de lágrimas cai.

DÍDIA CUNHA CAMPOS DE MORAES E CASTRO, estudante (Campanha, 1935)

Minha mãe.

Quando ela estava no Sion de Campanha, com13 anos de idade, machucou-se na virilha.

A atenta freira viu o sangue nas roupas. Minha mãe foi chamada na diretoria.

Apavorada, ouviu:

— Minha filha, agora você é uma mocinha! Você vai colocar essa toalhinha entre as pernas por debaixo da calcinha. E deixar lá durante seis dias. Leva essas todas, para ir trocando. Depois de seis dias, pára. Conta mais 27 dias, e começa a colocar de novo. Entendeu?

Aquilo durou dois anos. Minha mãe sofrendo com aquela austeridade toda, sem entender nada.

O problema maior não era a toalhinha. Eram as contas. Minha mãe nunca foi chegada numa matemática tão complicada assim.

D

DIDIANA PRATA, designer (São Paulo, 1987)

Ela nasceu no dia 15 de março de 1968. Comemorava-se um ano da posse do marechal Costa e Silva.

Nós saímos lá da Maria Antonia em passeata até o consulado dos Estados Unidos para apedrejar mesmo.

Depois da passeata fui até a Pro Mater conhecer a minha primeira sobrinha. Minha mãe veio logo me dizendo que eu ia ser o padrinho.

Nunca fui de dar presentes pra ela. Pelo contrário, foi ela, minha sobrinha e afilhada, quem me apresentou o "da lata".

Ela tinha 19 anos e fomos, com os meus filhos, assistir O Circo de Moscou, no Ibirapuera.

A última passeata e o primeiro da lata a gente nunca esquece, principalmente em tão boas companhias.

DIONÍSIO FIGUEIREDO, médico (Lins, 1965)

Naquele tempo não havia motéis.

Por sorte, a indústria automobilística chegou ao Brasil junto com a liberação sexual. Corriam os anos 60. Sim, os anos 50 e 60 corriam paralelamente aos Aero Willys e Simca Chambords. E a sexualidade do brasileiro começava a ser colocada, literalmente, para fora.

O carro era, naquele tempo, não apenas um meio de locomoção de um lado para outro. Outras locomoções eram praticadas quando as quatro rodas paravam. O carro era o motel! Até mesmo o velho fusquinha servia. Colocavam-se os pés das incautas naquele negócio de segurar e colocar as mãos que ficavam pendurados dos dois lados internos do carrinho e as moças ficavam lá, feito frango de vitrine.

E foi por causa de um carro-motel que o doutor Dionísio se deu mal. Já era avô quando o caso se deu. E deu no que deu.

Ele gostava, vez ou outra, depois de deixar o seu estetoscópio de lado, de auscultar outros corações. Gostava de biscatear, como se dizia no interior. Biscates eram mocinhas (às vezes nem tão mocinhas assim) que ficavam nas ruas da cidade à espera de alguém de carro para soturnos passeios noturnos. Pegavam-se as moças e ia-se para as estradas.

Ele pegou a Lindeza (que biscateava junto com a irmã, Beleza) e foi para a estrada asfaltada de Promissão. Lá tinha uma quebrada de terra que todo mundo conhecia. Não levava a lugar algum, antes a uma espécie de arena no meio das árvores, ótima para esses tipos de devaneios.

Ele chegou, desceu com a Lindeza, tiraram a roupa e estavam ali no bem-bom quando surge lá do outro lado, na estrada asfaltada, outro carro. O presidente do Rotary local vestiu correndo suas roupas, manobrou o carro debaixo da chuvinha leve que caía. Nisso, o carro que vinha entrando percebe que o local já estava ocupado, desiste e vai embora.

Ele manobra de novo, tira a roupa e faz o seu diagnóstico com a Lindeza. Isto posto, vestem-se de novo e ele vai para a sua casa, passando antes pelo Bar do Mário para uma última cerveja.

Chega em casa, a patroa já no décimo sono, toma um banho, troca de cuecas que trouxa não era, penetra debaixo dos lençóis e dorme sonhando com as curvas da estrada de Promissão.

Manhã bem cedinho ele é sobressaltadamente acordado pelo convulsivo choramingar da esposa:

— Onde foi que o senhor foi ontem à noite?

— No Bar do Mário, criatura!

— Ah, é? E como é que o senhor me explica isso aqui?

Foi então que ele abriu melhor os olhos e viu a prova do crime estendida nas mãos trêmulas da dedicada esposa: sua cueca, enorme e branca como deviam ser todas as cuecas, com a marca de um pneu. Inapelável.

Foi então que ele entendeu tudo. Na primeira vez que manobrara o carro, havia se esquecido de vestir a cueca que ficou no chão molhado e ele passou com o carro por cima dela. E agora ela estava ali, sob o testemunho do sol forte que penetrava pela janela, nítida e transversalmente assinalada com a marca da Goodyer.

D

Decididamente não foi um goodyear para ele.

Soube que ele morreu na semana passada, aos 103 anos. Havia parado de jogar tênis aos 99, que ninguém é de ferro.

Sabe como ele morreu? Pegou uma mesa, levou para o quintal da casa. Depois, pegou uma cadeira, levou para o quintal e pôs em cima da mesa. Isto posto, subiu na mesa, subiu na cadeira. Queria apanhar um caju. Caiu lá de cima, beijando o barro de Lins.

Parecida com a a morte do também médico Juvenal Urbino, de *O Amor nos Tempos do Cólera*, do **Gabriel García Márquez**. Só que o doutor Juvenal queria pegar um papagaio fujão em uma velha mangueira no seu quintal.

Gabriel G
1989
escritor
Havana
pág. 92

DOMINGOS DE OLIVEIRA, padeiro (Lins, 1955)

O meu pai foi, no mínimo, solene ao anunciar para toda a família, durante o almoço:

— O seu Domingos Padeiro vem hoje aqui em casa fazer uma demonstração.

Demonstração? Eu tinha nove anos. A palavra não fazia parte do meu vocabulário. Aliás, nem a palavra vocabulário.

Minha mãe disse:

— Demonstração do que, Alberto?

— Ele falou o nome, mas eu não me lembro. Me lembro que era um nome muito complicado. Complicadíssimo. É um negócio para fazer vitamina.

— Remédio?, perguntei eu, já com gosto de Óleo de Fígado de Bacalhau na boca.

— Ele vem às seis da tarde. Quero todo mundo aqui para a demonstração.

Confesso que, diante do clima cerimonial em que a coisa ficou, tomei até banho. Estava curiosíssimo. Ia assistir, pela primeira vez na vida, uma demonstração, fosse lá isso o que fosse.

O seu Domingos Padeiro chegou com um embrulho debaixo do braço. Era a máquina. Ele ia fazer uma demonstração, ou seja, ia explicar como funcionava aquilo que estava fazendo muito sucesso nos Estados Unidos e na capital. E a máquina se chamava liqüidificador!

— Com um nome desse não pode dar certo, seu Domingos. Isso não vai pegar. Como é mesmo o nome da coisa? Lidiquificador?

— *Não, liqüidificador, doutor Prata. Li-qüi-di-fi-ca-dor. Qüi, qüi...*

— O senhor vai me desculpar, mas...

A coisa pegou, é claro.

Me lembrei disso quando o meu pai me ligou para dizer que ele tinha morrido, uns meses atrás. Devia estar com mais de 90, pensei saudoso. Uns 80, fazendo pão. E que pão! Parece que o primeiro pão a gente nunca esquece. Nem do padeiro. Um dia ele chegou lá em casa, assustado:

— *Imagina, doutor Prata, que estão chegando uns moços aí da capital e vão abrir aqui na cidade uma tal de panificadora.*

— Pani, o quê?

— *Panificadora.*

— Não sei o que é, mas com um nome desse... Não pode dar certo. Não vai pegar... Pafinicadora?

— *Pa-ni-fi-ca-do-ra! Ni, ni... Dizem que faz pão e outras coisas.*

Realmente a Panificadora Flor do Lácio (também era de portugueses) foi um sucesso. Era uma padaria e muito mais. Tinha balcão, imagina! Sim, vendia muita coisa além do simples pão. Inclusive uma novidade: Pão Pullmann (com esse nome...) que era um pão que a gente podia guardar por vários dias.

Onde vamos parar com essas novidades todas?, pensava o meu pai enquanto consolava nosso padeiro que continuava apenas com a padaria. Consolava:

— Veja, seu Domingos, como é que chamamos uma bela bunda de mulher?

— *Padaria, pois.*

— Quer coisa mais gostosa de dizer quando passa uma gostosa, "que padaria, meu Deus!" Pois então? E por quê?

D

Porque é como se aquilo fosse um pão, o melhor dos pães. Daqueles quentinhos, que a gente aperta e caem umas casquinhas na calça da gente. Macio e durinho, ao mesmo tempo, como toda padaria de mulher deve ser. Aconchegante. Isso é fundamental: uma boa padaria deve ser aconchegante. Pois é isso. Bumbum de mulher é uma preferência nacional. Assim como a padaria. Pode ficar sossegado que, quando uma mulher gostosa passar na sua frente, ninguém metido a moderninho vai comentar: "que pa-ni-fi-ca-do-ra!"...

Ele deve ter morrido pobre, mas feliz. Feliz com a sua padaria. A Padaria da Dona Maria. Me lembro muito bem da padaria da dona Maria. Aquilo sim é que era padaria. Mulata de belas ancas, como convinha às boas padarias da praça.

DUDA GÓES, engenheiro (São Paulo, 1996)

Samuel S
1980
jornalista
São Paulo
pág. 212

Tudo começou em 1973 quando o **Samuel Wainer** me apresentou a irmã do Duda, Marta. Trabalhávamos na *Última Hora.*

Dias depois conheci o resto da família dela. O Mario e a **Loli**. Depois, Leco, **Lulu**, Miguel e Guelé. O Duda tinha, então, 15 anos, melenas longas e um sorriso permanente.

Loli L
1981
dona de
escola
São Paulo
pág. 144

Um dia, a Marta foi entrevistar o Wladimir, craque de alma longa e pernas curtas. Aquele Wladimir que, depois, junto com o Casagrande, o Sócrates e outros fariam a Democracia Corinthiana, mesmo naqueles cinzentos anos 70 e começo de 80.

Do encontro da sua irmã com o Wladimir ficou uma foto dos dois lá no campo do Corinthians, a Fazendinha. Lembro-me bem da foto. Os dois sentados na arquibancada, ela com um caderninho de anotações nas mãos e ele com um sorriso gostoso mostrando uns 50 alvos dentes.

Lulu L
1970
estudante
Curitiba
pág. 152

Depois nasceram nossos filhos Antonio e Maria. O Duda foi o padrinho do Tunico.

Conheceu a Ruth e se casaram. Eu já estava separado da Marta mas ele sabia que, da sua família eu nunca iria me separar. E ele e a Ruthinha, aquela Tigresa de olhos verdes, fizeram questão que eu subisse ao altar para ser seu padrinho. Viramos compadres por todos os lados.

Mais tarde vieram os seus: **Felipe** e Olivia. Felipe, como Wladimir, corintiano confesso, de carteirinha e boné.

De repente o Duda subiu aos céus literalmente, num rasante e rápido vôo. Naquele maldito avião da TAM.

E foi a partir daí que os fatos se cruzaram.

No dia seguinte, a Marta e meus filhos estavam indo para a casa na Fazendinha. Não a do Wladimir, mas aquele bairro depois do Granja Vianna: Fazendinha. Coincidência?

No caminho, na estrada, um jovem negro levava uns dez garotos para um treino de futebol. O jovem negro era o Wladimir segurando o Felipe pelas mãos. O craque da seleção brasileira soube da tragédia do dia anterior e foi dar uma força para o futuro craque Felipe.

E aí que vem o mais interessante e que fez com que quem chorava de tristeza, chorasse de alegria.

Felipe, com o boné do Timão virado para trás, ao ver a Marta dentro do carro, ao invés de apresentar o Wladimir para ela, disse, com o maior orgulho:

— Wladimir, Wladimir, essa é aquela tia que eu te falei!

Obviamente que ele devia ter contado para o professor de futebol que tinha visto a tal foto de 20 anos atrás numa outra Fazendinha.

D

F **Felipe**
1996
estudante
São Paulo
pág. 87

E

Marta M
1982
sexóloga
Rio
pág. 169

EDUARDO SUPLICY, senador (São Paulo, 1983)

Eu estava escrevendo uma peça de teatro com a mulher dele, a **Marta Suplicy**. Ligo para ela, ele atende.

— *Alô?*

— Alô. Quem fala?

— *Eduardo.*

— Pai ou filho? (o Supla ainda era Eduardinho)

— *Pai.*

— Oi Eduardo, é o Prata. Tudo bem?

— *Tudo bem, obrigado. E você, como tem passado?*

— Tudo bem.

— *Quer falar com a Marta?*

— Por favor. Um beijo.

Longo silêncio do lado de lá. Já estava esperando a voz da Marta, mas era ele que ainda estava lá.

— *Um abraço.*

ÉLIA, professora de patologia (São Paulo, 1997)

Se você sabe que Élia é (deve ter poucas patológicas e sem H), peça para ela te contar a história do cocô na maternidade. Falta-me talento e obra para tal.

(Depois de terminado o livro, mandei para a Élia dar uma olhada, pelo e-mail. E ela me mandou a gracinha de texto abaixo.)

Oi,

Sabe uma coisa que está superlegal? É que geralmente as pessoas se envaidecem muito porque conhecem gente famosa e tentam pegar para si o mérito delas, contando casos sobre elas ou até se aproveitando do fato de conhecê-las para poder contar uma indiscrição ou colocá-las no ridículo, apenas para não perder a oportunidade de dizer que é amigo, priva ou já privou da intimidade desta ou daquele personagem... para essas pessoas vale o ditado popular: "a vaidade é mais rápida que a inteligência".

Além do mais, é muito feio, porque se percebe que, na verdade, não se está apenas contando uma estória, mas de *um certo modo, batendo punheta com o pau dos outros... Pior ainda, quando a pessoa tenta disfarçar e conta o caso com aquele ar "*blasé*", como se fosse a coisa mais natural do mundo aquilo que, para o restante da humanidade, constitui um desejo totalmente inatingível...*

Você não, você conta os casos mais incríveis do mundo, estórias maravilhosas, de um jeito tão normal, com tanta singeleza, sem se aproveitar pra se fazer de bacana, de que "eu tava lá e vi"...; ao invés disso, você conta estas estórias de um modo que talvez possa ser definido assim: contar um caso com generosidade, valorizando o caso, o acontecido, a graça ou desgraça do caso em si, e não usando-o como veículo para promoção própria ou alheia.

Acho que este era o maior risco de contar essas estórias e você venceu, meu bem.

E o mais importante de tudo: o fez com tanta poesia, tanta, revelando muito mais que o fato acontecido em si (contado sempre de modo a despertar a curiosidade e o interesse); você revela também a alma das pessoas envolvidas, não só dos citados, mas, de cada uma de nossas tias-avós, mães, pais, primas do interior e amigos de longa data, todos os nossos personagens, e por fim de nós mesmos que estamos lendo.

O teu mérito aqui talvez não esteja em contar bem uma estória, mas em detectar estórias que são poemas, que são quase fábulas, e escrevê-las de modo tal a falar diretamente às nossas experiências, impressões e emoções. E a gente, levada pela música das tuas palavras, se surpreende rindo, ou com um nó na garganta, enquanto nem percebe que está lendo. Obrigada, querido, um beijo,

Elia.

ELISA GOMES, comerciante (São Paulo, 1982)

Eu acordei com 500 severogomes na minha sala.

A gente bebeu demais no lançamento da candidatura do pai dela para senador, lá no Garitão. Eu estava assim-assim.

E

O que eu sei é que pintou um clima mais forte que as urnas e a gente foi para a minha casa, depois de brejeira passada num japonês para o saquê gelado.

No dia seguinte, quando acordei, ela já tinha ido embora. Nenhum bilhetinho, mas caixas e caixas com camisetas com a cara do pai dela, escrito "seja severo".

Não me lembro por que aquilo estava ali. Talvez a gente tivesse tirado do carro que dormiu na rua. Não sei.

Sem saber exatamente o que fazer com o pai dela, fiquei com vergonha de ligar. Ela também não ligou. Cobrando o material de campanha.

De vez em quando a gente se cruza por aí. Ela continua a mesma gracinha de sempre. Mas ninguém nunca tocou no assunto. O assunto das camisetas.

ÊNIO GONÇALVES, ator (São Paulo, 1974)

Serginho S
1974
ator
São Paulo
pág. 214

Ou Pênio, o ator, era como o **Serginho Mamberti** o chamava. E o Ênio fazia jus.

Uma vez, fui a uma festa com ele e a minha namorada, uma moça da Bolsa de Valores. De lá, iríamos para o apartamento dela, em São Vicente. Tinha lá uma amiga dela, também bolsista, que eu e o Ênio conhecemos na hora.

No pequeno apartamento, eu e a namorada fomos dormir no quarto e ele e a amiga na sala. Separados, é claro.

— O Ênio vai comer a sua amiga.

— Imagina. Conheço ela.

— E eu, ele. Quer apostar uma garrafa de uísque?

— Fechado.

No dia seguinte ela se levantou e foi para a cozinha. Fiquei deitado. Ela voltou uns 15 minutos depois:

— Te devo quatro garrafas de uísque!

ERIC NEPOMUCENO, escritor (Rio, 1972)

Eu estava tentando escrever uma peça com **Chico Buarque**. Um dia, a gente estava no Final do Leblon, um boteco que fica onde o nome indica. O boteco cheio e várias garrafas vazias. Eu, o Eric e o Chico. A gente discutindo, eu pedia:

— Tem uma coisa, Chico. Quanto à parte das músicas, você se vira sozinho, que eu não entendo nada disso. E não adianta discutir.

O padre que me dava aula de música no Salesiano dava tanto coque na minha cabeça que bloqueou tudo. Eu não tenho noção do que é um tom abaixo ou acima, fá ou sol. Não tenha dó. Nem uma letrinha simples com métrica eu tenho noção.

Mas o Chico insistia comigo que ele também não sabia nada de música (imagine!) e que nós tínhamos que trabalhar juntos também nas músicas. O Eric, ali, talvez apenas com o objetivo de transformar, depois, este encontro num conto genial em *Quarta-Feira*.

— Alguma coisa a gente sempre sabe.

Eu, não.

Chico:

— Canta alguma coisa para mim. "Parabéns pra Você", por exemplo.

— Eu desafino. Quando eu canto "Parabéns pra Você" em festinha de crianças, todas elas olham para trás.

— Canta, pô!

— *Canta, pô!*

Foi aí que eu comecei a cantar o "Parabéns", ali na mesinha do Final do Leblon. Parecia uma bicha apaixonada pelo ídolo, com o Chico me olhando atentamente, olho no olho, atenção nos graves e nos agudos. Cantei a música toda, inclusive a segunda parte que a minha memória foi buscar não sei onde. O bar foi ficando em silêncio sem que a gente percebesse.

Quando terminei, umas 30 pessoas se levantaram e aplaudiram. Não a minha voz, mas o Chico que, para eles, aniversariava. Alguns, menos tímidos, foram até a mesa e o cum-

E

C | **Chico**
1998
compositor
Paris
pág. 55

E

primentaram com abraços e tudo. Teve uma menina que deu um boné para ele. O dono do bar, o seu Manuel, disse que a rodada era por conta da casa. Desconhecidos sentaram-se na nossa mesa.

Eric, mesmo sabendo que o compositor estava distante pelo menos uns seis meses do seu aniversário, gostou da brincadeira e telefonou para a Marieta convidando-a para a festa. Ligou para alguns amigos da redondeza. O bar foi enchendo, a notícia correu pelo Leblon, as pessoas chegando. Alguém providenciou um bolo, o trânsito quase parou. A festa foi até de madrugada. E eu cantei a noite toda, como nunca.

No dia seguinte, aliás, o Zózimo Barroso do Amaral deu até uma notinha na coluna dele. Mas nem me citou, o ingrato. Disse que quem cantou foi o Eric.

EUGÊNIA TERESA, atriz (São Paulo, 1986)

Reinaldo R
1994
escritor
São Paulo
pág. 196

Dagomir D
1983
jornalista
São Paulo
pág. 64

O **Reinaldo Moraes**, o **Dagomir Marquesi** e eu estávamos trancados há três dias num hotel escrevendo capítulos de *Helena*, para a Manchete.

Resolvemos sair um pouco pra dar uma relaxada. Fomos ver *Oh Calcutá!*. Muié pelada, sacanagem, era o que a gente tava precisando.

Chegamos correndo e atrasados no Ruth Escobar, pegamos os convites e entramos. Tinha pouca gente. No palco muitas mulheres. Para se chegar na platéia tinha que se atravessar o palco. Todas vestidas. Aliás, todas muito bem vestidas. De preto. Sentamos.

Quanto mais tempo demorava para elas tirarem a roupa, mais ansiosos e excitados a gente ficava. Aí entrou uma freira. Pra mim, já tinha começado a sacanagem. Aí entrou o padre. Eles falavam muito. Tava demorando pra começar a sacanagem. Mas, pensava eu, quanto mais demorar, mais sacanagem vai ter quando começar. A hora que o padre abrisse aquela batina ia ser um Deus nos acuda.

Foi quando eu comecei a prestar atenção ao texto e disse para o Dagô:

— Dagô, isso tá parecendo Garcia Lorca.

E o Reinaldo falou alto pra caralho:

— Porra, isso aqui é *A Casa de Bernarda Alba*. A gente entrou no teatro errado. Esse aqui é o espetáculo da Eugênia Teresa, porra!

E saímos às gargalhadas, chutando — sem querer — umas latas do cenário.

A peça de sacanagem estava no teatro debaixo do Ruth.

Uma semana depois, já com o espírito mais espanhol, voltei para ver o genial trabalho da Eugênia.

Anos depois, contamos essa história para a filha dela, a **Mika Lins** que, naquele dia, fazia uma das mulheres de preto.

— Me lembro disso. Foram vocês, é?

E

M **Mika**
1990
atriz
Angra
pág. 175

F

Luciana L
1985
fotógrafa
São Paulo
pág. 146

FÁBIO BRANT DE CARVALHO, médico (São Paulo, 1985)

Já retratado noutro livro meu como "jovem médico", hoje já não tão jovem assim, e muito mais médico, ele deu o diagnóstico. Ao lado, a minha mulher **Luciana** (prima-irmã dele) e a namorada dele (já era a Bia).

— *Hepatite alcoólica, gastrite, úlcera e duodenite! Em seis meses, se não morrer até lá, você tá bom. Luciana, dieta seriíssima nele! Passa o fumo. E você, seis meses, nem pensar em beber. É sério.*

Me lembro que, quando a minha mãe soube, disse:

— Hepatite alcoólica, meu filho? Alcoólica, que vergonha! Como é que eu vou contar isso pras minhas amigas? Acho que vou dizer que é câncer mesmo (risos).

Voltando ao Fabião. Pegou o telefone, na minha frente, sentado na cama e ligou para a cantina Roma, que ficava perto.

— *Por favor, uma canja bem ralinha. Olha, sem óleo. Sem sal, por favor. Pouquinho frango, arroz sem sal que o velhinho tá mal.*

Fez uma pausa enquanto anotavam o pedido.

— *Olha, aproveita e traga quatro garrafas de vinho Ca'Bolani, Venezia Giulia, dois bifes à parmegiana e uma perna de cabrito com coradas e legumes na manteiga. As meninas vão querer sobremesa?*

Serginho S
1974
ator
São Paulo
pág. 214

FABRÍCIO MAMBERTI, padeiro (Estoril, 1992)

— *Me dá a chave que eu vou buscar aqueles cartões, porra!*

Ele foi lá para Portugal e o pai dele, **Serginho Mamberti**, me recomendou tomar conta do menino que tinha uns vinte e poucos e eu vira — quase literalmente — nascer.

Agora estávamos os dois ali no bingo do cassino do Estoril pegando migalhas e moedas no bolso. A gente tinha feito um trato. O problema é que eu era vizinho do cassino. Combinamos deixar cheques e cartões na minha casa e levar 200 dólares cada um.

Nessa época ele tava duro, trabalhando de padeiro em Paredes.

Perdemos quase tudo nas roletas. O que sobrou levamos para o bingo naquela esperança de levantar, ali, uma grana, voltar para o cassino, ganhar muito dinheiro, comer aquelas mulheres todas.

Mas as moedas, no bingo, foram acabando.

Ficamos os dois, um olhando para a cara do outro. Um de nós falou:

— *Tá pensando a mesma coisa que eu?*

Um de nós respondeu:

— *Me dá a chave do seu carro que eu vou.*

E foi.

E foi, claro, uma péssima idéia.

FELIPE GÓES, estudante (São Paulo, 1996)

Meu sobrinho, dez anos, convicto corintiano. Filho do **Duda**, que morreu naquele avião da TAM.

D **Duda**
1996
engenheiro
São Paulo
pág. 78

Alguns dias depois do acidente, o comandante Rolim, canista, telefona para a mãe dele, a Ruthinha, dizendo que vai fazer uma visita de pêsames. Ruthinha conta para ele e para a irmã Olívia. Todos ainda abalados.

O Felipe não pensa duas vezes: não quero que esse homem venha na minha casa. Saiu da sala e foi dormir.

No dia seguinte, a Ruthinha pondera, insiste com o garoto. Ele, irredutível:

— *Mãe, esse cara é dono da TAM. E a TAM patrocina o São Paulo, mãe!*

Em tempo: o comandante Rolim, canista, marcou a ida três vezes e não foi. Palavra de comandante.

FERNANDA MONTENEGRO, atriz (Cascais, 1992)

Estou eu deitado na sala, o breguete na mão zapeando canais da Europa toda. De repente, na televisão da Áustria, a Fernanda. Dublada, em alemão.

F

A cena era longa, me lembro bem. Uma minissérie da Globo. Ela falava com alguém que, presumo, fosse filho da personagem.

Claro que eu não entendi nenhuma palavra do que ela dizia. Mas ela é tão boa, tão maravilhosa que, apesar daquela voz que eu sabia não ser dela, apesar daquela língua esquisita, ela me comovia. Não conseguia parar de ver o seu trabalho. Não resisti e liguei de Cascais para o Rio de Janeiro.

— Fernanda, você é boa até dublada!

FERNANDO MORAIS, escritor (Sorocaba, 1998)

(Ele censurou o verbete porque quer ser prefeito e disse que ia sujar.)

FERNANDO SABINO, escritor (Lisboa, 1991)

Rubem R
1980
cronista
São Paulo
pág. 206

Rubem Braga, Henrique Pongetti, Paulo Mendes Campos e ele. Vinham dentro da *Manchete* que eu devorava lá no interior. Além do Nelson Rodrigues e o Sérgio Porto na *Última Hora.*

O *Encontro Marcado* foi decisivo na minha vontade de virar escritor. Eu era vidrado nele.

Anos depois, coloquei uma personagem lendo o *Encontro Marcado* na novela *Estúpido Cupido.* Ele, agradecido, me mandou um cartão que guardo até hoje.

Depois minha mãe, que estudou no Sion de Campanha, andava atrás da primeira mulher dele, para um encontro das colegas, 50 anos depois. Ele armou o encontro. Afinal, quando a minha mãe debutou em Uberaba, o então cadete Sabino dançou com ela. Os dois nunca se esqueceram disso. Será quê?

Ficamos amigos.

Até que teve o livro da Zélia (aquela mocinha, lembra?). Eu morava em Lisboa. Vim passar uns dias aqui e o livro era capa até da *Veja.* Um escândalo. Porrada em cima dele. No aeroporto, voltando, compro o livro. Leio no vôo para Madri. Passo a noite em Madri e releio. Gostei muito. Mesmo.

Chego em Lisboa, mando um fax para ele.

Ele me responde. Foi a única manifestação a favor do livro. Ficou comovido, queria colocar na contracapa das futuras edições. Liguei:

— Meu amor é por você, Fernando. Não pela Zélia. Não é ela que é boa. É você.

F

FIÍCA CUNHA CAMPOS DE MORAES E CASTRO, dona-de-casa (Uberaba, 1981)

— *Onde é que você vai enfiar isso,* ***Mário****?*

Foi a última frase que ela se lembra da primeira noite de núpcias, em 1919.

Sua vida sexual e afetiva foi um horror, me confessaria depois dos 80.

Beirando os 90 e completamente caduca, os filhos pagavam três enfermeiras que se revezavam o dia inteiro. Ela ficava sentada numa cadeira. Não reconhecia mais ninguém, nem os filhos. Viajando, total.

Um dia fomos fazer uma visita e uma das enfermeiras chama o meu pai do lado. Fui junto. Meu pai é médico:

— Doutor Prata, a dona Fiíca está se masturbando o dia inteiro. O que que a gente faz?

Antes que meu pai tivesse tempo para refletir, eu sentenciei:

— Deixa!

Morreu assim, se masturbando como uma criança sapeca descobrindo o prazer do sexo.

A cadeira está hoje na minha casa. Sempre que eu olho para ela é como se visse ali a minha avó me olhando, sorrindo, feliz, se masturbando.

M **Mário**
1918
tabelião
Uberaba
pág. 167

FLEURY, governador (Rio, 1992)

O **Fernando Morais** era secretário da Educação dele. Fez um projeto maravilhoso, junto com a Regina Duarte, para levar estudantes ao teatro. Era tão bom que ganhou o Prê-

F **Fernando**
1998
escritor
Sorocaba
pág. 88

F

mio Shell. A entrega era no Rio e o governador pediu ao Fernando que me convidasse também.

Lá fomos nós, no jatinho do governador. O governador, a dona Ika, Fernando e Marina, eu e Regina. Bebemos muito uísque na ida.

No aeroporto, vários carros pretos no meio da pista, já com as portas abertas. O Fernando ficou muito bravo comigo quando percebeu que eu desci com um copo de uísque do palácio, cheio de uísque (o copo, não o palácio). Lá fomos nós, como convinha. Com batedores.

No Canecão, tomamos muito vinho e alguma vaia.

Saímos, as portas abertas, batedores, fomos para o restaurante do Hugo Celidôneo. Chegamos, a mesa pronta e muita caipirinha.

O Fleury, a Ika, o Fernando e a Marina estavam num papo animado e eu conversava com a Regina, que conheci quando tínhamos quatro anos, em São Joaquim da Barra, onde meu pai era médico dela. Pode?

Eu dizia para ela:

— Vê que loucura, Regina. A gente saiu lá de São Joaquim da Barra e hoje estamos aqui, com o governador e...

Ele, que ouvia a nossa conversa, apressou-se ao lado:

— E eu? E eu? E eu que era cabo em Rio Preto?

FRANCISCO PAOLILLO NETO, administrador (Évora, 1997)

Maria | M
1990
estudante
São Paulo
pág. 162

O Francisco e a Vânia, o Castanho e a Rosana, o Sérgio e a Marisa, eu e a minha filha **Maria** perambulávamos por Évora, cidade romana e portuguesa. Íamos para o Fialho, o melhor restaurante de Portugal e, dizem, um dos cinco do mundo.

O Francisco guiava, portanto não bebia. O resto não guiava. O Sérgio ia com um saco plástico na mão comendo bananas e jogando as cascas lá dentro.

O Amor Fialho, meu velho amigo, nos recebeu de braços, cozinha e adega abertos. Nunca se comeu e bebeu tanto. Menos o Francisco, é claro.

No final da orgia gastronômica, o Fialho insistiu com os doces. Aqueles doces portugueses, sabe? Trouxe uma bandeja cheia deles. Mas ninguém agüentava mais nada. Uma das mulheres disse que seria falta de educação recusar tal oferenda. Outra deu a idéia de colocar tudo no saquinho de casca de bananas do Sérgio. E assim foi feito. Os doces desapareceram.

Com a conta, o Fialho mandou licores, néctares dos deuses lusitanos. Saímos de lá junto com a lua que nascia.

Na Van, alguém pediu um docinho para beliscar. Procura-se o saquinho do Sérgio. Exatamente: havíamos esquecido a prova do crime lá dentro, debaixo da mesa.

Rápida reunião. O consenso geral decidiu que a gente devia voltar e pegar os doces. O mesmo consenso resolveu que seria o Francisco — que não bebia — o encarregado a passar vergonha.

Ele entrou no restaurante, veio o Amor Fialho com o saquinho na mão. Aqueles doces finíssimos misturados com as cascas do doutor Sérgio, famoso médico do pulmão.

Não vi o sorriso amarelo do Francisco. Mas pudemos imaginar, pela cara dele ao voltar.

Semana passada, deu nos periódicos, o Fernando Henrique almoçou lá com a dona Ruth. Deram até o cardápio. Aqueles doces todos. O jornal só não informou se, como o Sérgio, o presidente andava comendo banana pela rua.

G

Ruy | R
1989
cineasta
Havana
pág. 209

GABRIEL GARCÍA MÁRQUEZ, escritor (Havana, 1989)

Ele não deve se lembrar de mim, mas eu era um atento fã sentado na mesma mesa dele, num dos bares do festival de cinema de Cuba, tomando *mojitos*.

Acho que foi o **Ruy Guerra** quem perguntou, sei lá por que, como era a relação dele com o pai. A história que ele contou, mágica, me levou imediatamente para Macondo.

Em 1926, por aí, o meu pai era um jovem telegrafista. Viajava pela Colômbia levando os postes, os fios e os aparelhos. García, era o nome dele. Quando chegou em Aracataca, cidadezinha isolada, conheceu a minha mãe, da família Márquez, tradicional, com certa grana. Começaram a namorar. Mas, além de muito jovem, não ficava bem namorar um telegrafista, imagine.

Então o pai dela, conseguiu a transferência dele para a outra ponta do país. Mas... ele era telegrafista e assim se comunicavam e namoravam. Quando a minha mãe ficou grávida de mim, o velho disse que me criaria, mas que o pai sumisse. E foi assim, fui criado na casa dos meus avós.

Quanto ao meu pai, via pouco, conversava pouco com ele.

Mas agora, que a gente tem quase a mesma idade, ficamos muito amigos.

(Em *O Amor nos Tempos do Cólera* tem um namoro por telégrafo, lembra?)

GAÚCHA, puta (Lins, 1962)

A informação é que ela fazia abatimento para estudante, de tarde.

Lá fui eu.

Deve ter sido a única Cuba Libre que eu tomei às duas e meia da tarde. De verão.

Num canto, uma bacia com água pela metade. No criado-mudo, o rolo de papel higiênico cor-de-rosa despencava, áspero. Um Cristo, com o sagrado coração pra fora espelindo raios, me analisava da caiada parede azul e verde.

— *Senta, tesão.*

Sentei, a cama rangeu feio. Ela começou a tirar a roupa. O par de seios pulou pra fora. Imensos, com uma marca de dentada antiga.

— *Foi aquele costureiro, o Clodovil.*

Ela deita na cama, nua. Eu, sentadinho, desamarrando o sapato, meio sem saber o que fazer. O pau duro, duríssimo. Ela tinha uma porção de marcas no corpo. Não raspava debaixo do braço.

— *Primeira vez, tesão?*

— Imagina...

— *Franguinho... Tira a roupa, tira.*

Ela deitou e abriu as pernas. Eu deitei em cima dela e também abri as pernas. Ela abriu as pernas mais ainda. Eu também abri as pernas mais ainda. Acho que eu achava que o meu pau ia achar o caminho por conta própria, atraído por aquele cheiro. Parecíamos uma estrela marinha em cima da cama a ranger cheiros que eu não conhecia. Mas tinha ouvido falar.

Eu ficava levantando a bunda e golpeando. Claro que não entrava. Mas, quando entrou, com a graciosa ajuda da Gaúcha, gozei sem nenhum bombardeio. Ela puxou o rolo de papel higiênico e foi para a bacia.

Eu achei o máximo. Vendi garrafas e jornais para voltar na dia seguinte.

Eu já trepava. Ou, pelo menos, achava que trepava.

GIULIA GAM, atriz (Santarém, 1992)

Estava eu posto em sossego lá em Portugal quando chegou a Giulia para gravar uma minissérie na televisão portuguesa. Coisa do **Walter Arruda**.

Num dia de folga, dela, fomos passar o dia em Santarém, turisticamente. Já estávamos saindo da cidade quando ela viu uma igreja. Uma, das mais de 100.

— *Pára, pára. Essa igreja é do século 14. Tempo do Romeu e Julieta. Vamos entrar, vamos entrar, olha ali uma vaga.*

W **Walter**
1992
publicitário
Lisboa
pág. 241

G

Exatamente onde estacionei, havia uma placa com uma frase do Pero Vaz de Caminha. Daquela carta, é claro. Ela deduziu:

— *Ele deve estar enterrado aqui.*

Toda igreja de Portugal tem pelo menos uma pessoa famosa enterrada.

Entramos. O Pero não estava enterrado lá. Mas o Pedro Álvarez Cabral estava. Lá no fundo, do lado direito do altar. Emociona, sim. Em frente ao túmulo, um pequeno altar. E, no altar, uma placa de mármore com os seguintes dizeres:

A PEDRO ÁLVAREZ CABRAL, DESCOBRIDOR DO BRASIL, A HOMENAGEM DE PAULO SALIM MALUF.

Pode perguntar pra ela.

Ela:

— *Vamos roubar.*

— Tá louca?

— *Vamos roubar. Tenho que levar isso para o Brasil, porque ninguém vai acreditar. Não acredito!*

Foi uma luta convencer a Giulia deixar a placa lá.

GRANDE OTELO, ator (Rio, 1972)

Aderbal A
1973
diretor de
teatro
Rio
pág. 20

Eu estava com o **Aderbal Freire-Filho** no Gôndola, em Copacabana, quando o Otelo me viu. Já tinha tomado umas. E outras. Eu também. Mas chegou de mansinho o Sebastião Bernardes de Sousa Prata. Pediu licença, pediu desculpas e perguntou:

— *Você é o Mario Prata?*

— Às vezes...

Começou a me beijar e a chorar. Subiu no meu colo, me abraçava e gritava para o bar:

— *Esse cara é meu primo! Meu primo! Um boi dele compra esse bar! Um boi!*

Alberto A
1954
médico
Bauru
pág. 24

E chorava. Eu ali, meio sem saber o que fazer. Sabia que um dia esse encontro ia acontecer. Desde que eu me entendo por gente que o meu **pai**, com indisfarçável orgulho, dizia, lá em Lins, quando o filme era com ele e o Oscarito: esse cara é seu primo.

E explicava:

— Quando aboliram a escravatura, os escravos mais chegados, e que não tinham sobrenome, ficaram com o nome da família. O pai dele era escravo do meu avô. Temos a mesma idade. Brincamos muito juntos, quando a gente era moleque, lá no Triângulo Mineiro. Ele vendia jornal.

O grande Otelo enxugou as lágrimas e, com toda a humildade do mundo, me perguntou:

— A família Prata não acha ruim eu usar o nome de vocês?

Aí foi a minha vez de chorar nos braços do primo.

E era de Primo! que a gente passou a se chamar sempre.

— Tenho um filho chamado Mario Prata, homenagem ao seu bisavô!

E a gente sempre adiando um projeto de trabalhar juntos. Em 87 fui fazer *Helena*, na Manchete e liguei pra ele:

— Primo!, vamos trabalhar juntos? Vou adaptar *Helena*, do Machado para a Manchete. Vamos nessa?

Ele rodeou, rodeou e disse:

— Primo!, é o seguinte: eu sou contratado da Globo e não faço porra nenhuma. Você quer me levar para a Manchete, pra ganhar menos — e, provavelmente não receber — e, ainda por cima, ter que trabalhar? Porra, primo!, pensa bem.

GUTÃO (José Augusto Martins Beozzo), dentista (Munique, 1978)

A gente estava fazendo hora para assistir, ali mesmo, num bar de calçada na Marienplatz, o jogo do Brasil e Argentina, direto da Argentina, pela Copa. Ligamos, daqueles telefones quebrados que brasileiro sempre descola no exterior, para o Brasil querendo saber por que o Zico não ia jogar.

O garçom insistia em chamar o Zico de Weisspéle (Pelé branco), quando paramos tudo para olhar uma mulher simplesmente maravilhosa que fazia seu loiríssimo cânter para nossos olhos saudosos de mulheres.

— *Não deve ser alemã,* vaticinou ele.

— Como é que você sabe?

— *Raspa a perna e tem bunda.*

— É verdade. Bela bunda, por sinal.

— *Alemã não tem bunda. Bunda é coisa de Terceiro Mundo. Coisa de crioulo. Sabe que aqui bunda não existe mesmo, né? Não tem essa fissura de brasileiro de comer bunda de mulher. Como elas não têm bunda, comer o quê? O que eu quero dizer é que não existe nenhum erotismo, nenhum fetiche com bunda, por aqui.*

— Nada?

— *Nada. Aqui bunda e cotovelo inspiram a mesma tesão. Ou seja, porra nenhuma. As bundas daqui não têm a menor sensibilidade.*

— Mas também não é assim!

— *É assim, sim. Pode passar a mão na bunda de uma alemã que ela não reage, não acha ruim, nada. No máximo pode achar que é um carinhozinho.*

— Então passa a mão na bunda de uma, que eu quero ver.

— *Aqui não, porra! Mas vamos numa boate depois do jogo que eu te mostro. Não faço outra coisa aqui em Munique. Vou para a boate e fico passando a mão na bunda de todas as mulheres.*

Eu nunca tinha pegado na bunda de nenhuma mulher que eu não estivesse a fim. No começo fiquei meio sem jeito lá na boate cheia de atrizes da Bayerisches Nationaltheater.

Era uma delícia, quando eu peguei a manha.

Realmente, elas olhavam para trás e davam um sorriso meio esquisito. Os parceiros também.

Fim de noite, a gente já bêbado, chegam dois alemães imensos e começam a falar grosso com o Gutão. Falavam e apontavam pra ele e pra mim.

— Traduz aí que eu tou curioso.

— *Fudeu, cara! São viados!*

— Viados? Desse tamanho?

— *Viado alemão, né cara? Eles estão pedindo que a gente vá até o banheiro passar a mão na bunda deles.*

H

HEBE CAMARGO, apresentadora (Lisboa, 1997)

Estávamos todos no mesmo hotel, lá em Lisboa. Era uma convenção internacional sobre cosméticos. Eu fui, cooptado pelo pessoal do spa São Pedro, de Sorocaba.

O quarto da Hebe era ao lado do meu. Chego do cassino do Estoril lá pela uma da manhã e a porta do quarto dela está aberta, escancarada. Descuido dela? Resolvo conferir. Era uma suíte enorme. Vou entrando na base do ô de casa, ô de casa. Lá no fundo, homens cabisbaixos ceavam. Um clima horroroso no ar. Na cama, Hebe dependurada em vários aparelhos de telefone. Ligando para Deus e o mundo.

Um companheiro nosso, da convenção, dono da Rastro, havia recebido um telefonema do Brasil. Sua filha, de 19 anos, tinha acabado de morrer afogada no litoral de São Paulo.

Não havia mais vôos para o Brasil àquela hora da madrugada. Era por isso que a Hebe descabelava-se nos telefones.

— Eu sei, minha senhora, eu sei que horas são aí no Brasil. Diga ao presidente que é a Hebe Camargo e o caso é grave.

Tenho quase certeza que este último telefonema foi para o Fernando Henrique. Mas certeza mesmo eu tenho que a Hebe conseguiu que um avião da Lufthansa que passava por cima de Lisboa com destino ao Brasil, aterrizasse só para pegar o amigo dela.

Às três e meia da manhã ele embarcou.

A Hebe deu um trato no cabelo e pediu comida pra todo mundo. Comi, fechei a porta e fui dormir com a Hebe na minha cabeça.

E no coração.

HELENY GUARIBA, diretora de teatro (São Paulo, 1970)

Vinha lá do ABC, a moça. Diretora de teatro. Viva, moderna. Seu espetáculo, *A Moreninha*, veio para o Sesc-Anchieta. A peça era protagonizada por uma menina de 18 anos, chamada **Soninha Braga**.

S **Sônia**
1969
atriz
São Paulo
pág. 221

H

Um dia encontro com a Soninha na Doutor Villanova:

— Prenderam a Heleny, menino!

Nunca mais ninguém teve notícias dela, a moreninha.

HENFIL, cartunista (Lins, 1979)

Na época da anistia ampla, geral e irrestrita, levei uma turma para passar o carnaval em Lins, cujo prefeito era o Casadei. Eva Wilma, Carlos Zara, **José de Anchieta**, Elisabeth Hartman, Maria Lucia Dahl, Maria Isabel de Lizandra, o Henfil e a namorada dele.

Fomos de carro, eu, a Marta e o casal. A Lúcia, a namorada que o acompanharia até o dia da sua morte, tinha, então, 15 anos. A Marta não perdoou:

— É, realmente comunista gosta de comer criancinha!

J — **José de Anchieta** — 1981 — artista plástico — São Paulo — **pág. 115**

HEYDE C. SANTOS, médico (Lins, 1996)

— Ele morreu!

Soube pelo telefone, de supetão, enquanto tentava vender a casa dos meus pais, no interior. O **Luizinho Prudêncio**, arquiteto-mor de Lins, me informou logo cedo. Não tenho mais detalhes, disse, triste. A morte dele, na véspera do Natal, no final de um ano de tantas mortes de tantos amigos e brasileiros gostosos, me derrubou naquela manhã.

L — **Luizinho** — 1966 — estudante — São Paulo — **pág. 151**

Estava na casa da minha irmã Rita. Meu pai e minha mãe também. Todos eram amigos dele, da Lurdinha e dos filhos Heydinho e Cláudia, hoje já senhores. O almoço foi triste. Minha mãe queria ligar logo para a Lurdinha dando uma força. Meu pai ponderou que era ainda muito cedo. Amanhã a gente telefona. E passamos o almoço a lembrar dele, um médico anônimo para a grande multidão, baiano que escolheu Lins nos anos 50 para fazer a vida e viver. E como ele gostava de viver! Passamos o almoço a lembrar, com o coração partido, daquele cardiologista. Em vez de um, tomei dois uísques. Um por mim e outro por ele.

Era bem mais velho do que eu. Mas foi ele, o primeiro na cidade a me dar força quando comecei a rabiscar crônicas. Foi ele o primeiro a dar uma casa para o Luizinho, recém-formado em arquitetura. Estava sempre ligado aos jovens, aos novos. Culto e grande orador, de um humor sibilino e ao mesmo tempo ligeiro.

Depois do almoço volto para o meu apartamento e ligo para o também linense, o poeta **Sérgio Antunes**. Sérgio também mal pôde acreditar. Pedi que ele ligasse para mais gente de Lins. Nosso amigo, que já devia estar perto dos 70, morreu.

O Sérgio me liga perguntando da possibilidade de irmos para o enterro. Disse que já havia ligado para todo mundo. Os amigos paulistanos do Heyde choravam a sua morte a 450 quilômetros por hora. Mas que hora é o enterro? Vai ser em Lins, Getulina (terra da Lurdinha) ou na Bahia? Vamos descobrir. Desligo e o telefone toca novamente. Era o Luizinho que havia arquitetado toda a confusão, entre o assustado, o solícito e o feliz:

— Era boato! Ele não morreu, não! Tá mais vivo do que nunca! Desculpa!

Desculpo e abro um sorriso e disparo o coração que outro dia mesmo ele eletrocardiografou. Agora era avisar todo mundo que a morte anunciada não foi como a do **García Márquez**. O homem estava vivo. Ainda não era desta vez que ele viraria santo.

De noite, no bar Spot, eu e Sérgio bebemos e bebemos à saúde do grande cardiologista e poeta maior que, um dia, mas não muito cedo, será santo.

Meses depois, morreria pra valer.

H

S | **Sérgio**
1980
poeta
Rio
São Paulo
pág. 214

G | **Gabriel**
1989
escritor
Havana
pág. 92

HIROSHIMA SILVANA ALVAREZ, estudante (Havana, 1989)

Bar do Hotel Nacional. Ela estava a umas quatro mesas. Por entre Geraldine Chaplin, Gabriel García Márquez e Harry Belafonte, me procurava. Loira, muito bonita, cabelos longos, aloirados, encaracolados. Cubana, principalmente. Uns 20 anos.

Passo por perto. Fala espanhol. Pelo papo rápido, pareceu-me aluna de cinema. Sorriu. Mais dois *morritos* e eu já

H

Reinaldo R
1994
escritor
São Paulo
pág. 196

fazia sinal para ela ir até o primeiro coqueiro no longo gramado que une o bar do hotel à praia.

Quando ela se levantou, era gorda. Nada contra gordas (vide **Reinaldo Moraes**). Mas era gorda. E se chamava Hiroshima. Confesso que é altamente estimulante perambular pelos jardins do Hotel Nacional com uma jovem de 20 cubanos anos, chamada Hiroshima.

Hirô estava mesmo a fim de sacanagem com um brasileiro. Caminhando na direção da *rampla*, pegou na minha mão. Lá perto do mar tinha um buraco no chão, pouso de um canhão. Descia-se por uma escada. Era a base de um imenso canhão que se deslizava por um pedaço de trilho ovalado. Ela me arrastou lá pra baixo e me comeu dentro do canhão.

Ao fundo, o som de Bola de Nieve cantando "La Vie en Rose".

Eu sei que é meio difícil acreditar que eu fiz amor com uma cubana chamada Hiroshima, dentro de um canhão em Havana, com Bola de Nieve cantando "La Vie en Rose". Nem García Márquez acreditaria:

— *Es un bueno ficcionista...*

HUGO CARVANA, ator (Rio, 1977)

A notícia correu pelo Baixo Gávea. Ele e a Marta, mulher dele, entraram numa árvore da Lagoa. De carro. De madrugada.

Ficaram entre a vida e a morte uns dias, mas para alegria da galera, do cinema e do jornalismo brasileiros, sobreviveram.

Quando voltaram para casa, fomos lá visitar. Eu e a Marta. Ele e a Marta. Ele estava estendido na cama, com a perna engessada para cima. Aquelas coisas de caricatura. Depois de muito uísque e algum fumo, ele veio com o seguinte papo:

— *Seguinte: a gente tinha pó no carro, tivemos que dar uma certa grana para os milicianos.*

Entendi.

— Quanto é que você tá precisando?

Afinal eu era o amigo rico, contratado da Globo, novela no ar, etecétera.

O que ele me pediu era em torno de uns cinco mil dólares.

— *Sabe como é,* disse ele, dobrando o cheque. *Despesas pra caralho. Perfuração do fígado que já não era lá essas coisas. Estamos zerados.*

— Tudo bem, tudo bem.

Uma semana depois voltei para ver como ele estava. Lá estava ele, do mesmo jeitão, descabelado e maravilhosamente cínico. A única diferença é que tinha comprado uma gigantesca televisão colorida — era 77, a minha ainda era preto-e-branco — com controle remoto e tudo. Lançamento. Quase cinco mil dólares.

— Porra, Carvana, você me pediu dinheiro emprestado para comprar uma televisão!?

— *Porra, meu, você queria que eu ficasse dois meses aqui deitado vendo televisão preto-e-branco? Sem controle remoto?*

Em tempo: demorou, mas o adorável vagabundo foi trabalhar e me pagou.

HUGO PRATA, agrônomo (São Paulo, 1969)

Ele e o **Bipe**, os dois meus tios, moravam no Pedra Azul, ali na alameda Jaú, com esposa e filhos. A **Rita**, minha irmã e o Zé Eduardo também. E o Nestor e o filho dele, o Eduardo. E mais: um alto diretor do Banco do Brasil.

Ninguém gostava do alto diretor do Banco do Brasil. Eu, porque ele não conseguia me transferir do Brás para a Augusta, no Banco. O Hugo e o Bipe por motivos políticos. O Bipe estava voltando do exílio na Argélia e o Banco do Brasil, pra ele, era o poder. Os demais do prédio não gostavam porque o alto funcionário, usando de sua posição quase militar, usava, indevidamente, um cômodo no alto do prédio — que deveria ser do usufruto de todos — para sua maravilhosa adega.

B **Bipe**
1962
arquiteto
Lins
pág. 37

R **Rita**
1966
decoradora
São Paulo
pág. 201

E foi o Eduardo quem descobriu que dava para entrar pelo vitrô e roubar as preciosidades etílicas do funcionário do Costa e Silva, lá em cima. Aliás, fazia tempo que o Eduardo, com uns 15 anos, vinha roubando e vendendo.

A reunião foi na casa do Hugo. A meta: atacar a adega e não deixar dose sobre dose. O Zé Eduardo não iria, gordo, não passaria pelo vitrô. O Bipe, que não bebia, não queria uísque. Só fazia questão de deixar um cocô lá no meio da edícula do poder.

E assim foi feito.

O Eduardo, uns cinco anos depois, seria metralhado como queima de arquivo por tráfico de drogas. Nós sobrevivemos. Um pouco bêbados, mas com o dever cumprido para com a pátria.

HUGO PRATA FILHO, diretor de cinema (São Paulo, 1992)

Estou eu posto em sossego em Cascais quando o meu filho, na véspera de fazer 15 anos, me liga:

— Pai, vou fumar maconha amanhã. Só tou avisando. Você não passou a vida dizendo que não vicia e que não faz mal pra saúde? Então!

Sabia que esse dia ia chegar. Fico pensando uns segundos. Pai moderno é uma merda. Pergunto, todo pai:

— Com quem?

— Com o Huguinho.

Meu primo, filho do **Hugo** e da **Yara**.

Foi aí que eu me lembrei. Quando eu cheguei em São Paulo, em 66, o Hugo pai e a Yara mãe que me fizeram a cabeça. Com outros estupefacientes, é claro. Quando o Hugo filho tinha 15 anos, apresentei pra ele. Agora ele fazia a cabeça do meu filho.

É a família, penso do lado de cá. E continuo:

— Tudo bem, mas fala pro Hugo que, quando o filho dele tiver 15 anos você vai dar maconha pra ele.

— Já disse. E o Hugo disse que tudo bem.

Hugo H
1969
agrônomo
São Paulo
pág. 101

Yara Y
1974
dona-de-casa
Matão
pág. 242

Anos depois, o Hugo me contaria que, no dia do combinado, a Maria, 13 anos, percebeu que eles estavam com coisa, conversando escondidos. Ela chegou no Hugo:

— O que é que vocês tão conversando tanto?

— Papo de homem, Maria...

Ela, preocupada com o irmão:

— Pode contar. Conta pra mim Hugo, é coisa de pinto? O pinto dele não sobe?

I

Hugo H
1992
diretor de cinema
São Paulo
pág. 102

Joana J
1972
atriz
São Paulo
pág. 112

Giulia G
1992
atriz
Santarém
pág. 93

IARA JAMRA, atriz (Évora, 1992)

O **Hugo Filho,** a Stella Rizzo, eu e ela fomos almoçar no Fialho, em Évora. É o melhor restaurante de Portugal. O dono chama-se Amor e o é. Fiquei amigo dele de tanto levar brasileiros ilustres lá. **Joana Fomm**, **Giulia Gam**. Giulia deixou de fazer regime lá e a Joana teve que explicar o que é que tinha dentro da caixinha da Perpétua para os portuguesinhos.

— Aquilo!

O fato é que, como sempre, o Amor nos encheu de comida e bebida. A gente não estava mais em condições de voltar os 150 quilômetros para Cascais. O Amor Fialho percebeu:

— Vocês não vão voltar para Cascais. São meus convidados, a preço de convenção, no meu hotel.

Eu não sabia disso. O Fialho tinha um hotel: Évorahotel, cinco estrelíssimas. Ele mesmo fez as reservas. Concluiu que éramos dois casais.

Ainda no restaurante a Iara disse, com aquela vozinha gostosa de adolescente irritada:

— *Eu não vou dar pra você! Nem vem!*

— Porra, eu não disse nada.

— *Mas pensou. Não vou dar.*

Fazendo a ficha na portaria e ela matracando:

— *Já avisei, hein?*

Cama de casal:

— *Vira pra lá que eu vou tirar a blusa. Mas não pensa você que...*

— Tá, tá!

Desmaiamos, eu diria.

Anos depois, em São Paulo, ela me perguntou:

— Não me cantou aquele dia, por quê?

IGNÁCIO DE LOYOLA BRANDÃO, escritor (São Paulo, 1999)

O Loyola. Não, não me refiro ao santo, pois o meu santo é outro. Não fui jesuíta e sim salesiano. Sou mais Dom Bosco e/ou Domingos Sávio. Estou falando do Ignácio de Loyola

Brandão, aquele que brande aos domingos no "Cidades" e na cidade.

Eu sei que existe um grau de parentesco entre nós dois. Além da já velha amizade (desde a *Última Hora* do Samuel, em 62, quando éramos bem mais jovens do que nossos filhos), além do fato de sermos modelos e atrizes, perdão, jornalistas e escritores, além do fato ele torcer pelo Linense e eu pela Ferroviária, existe algo entre nós além da morada do sol e a cidade das escolas.

Peço sua ajuda, leitor/a.

É que, antigamente, os graus de parentesco eram bem mais definidos, a coisa era clara, simples. Não havia esta libertinagem parentesca que existe hoje. Tinha avô, pai, filho, primo e tio. Depois sogra, sogro, genro e nora (fora os cunhados e as cunhadas que eu nunca tive). E não se falava mais nisso. Qualquer parente se enquadrava dentro destes *status*.

Mas o mundo girou, a Lusitana rodou e a gente foi ganhando uma nova parentada. Por exemplo, o Nirlando Beirão, que é casado com a minha ex-mulher, a Marta Góes. Claro, é meu parente. Este grau já está definido. Ele é o meu comborço.

Mas tem uns parentescos ainda não nomeados. Por exemplo e muito comum: um homem tem um filho e se casa com uma mulher que tem outro. Juntos, têm um terceiro. Portanto, este filho é irmão dos outros dois. E os outros dois não são irmãos entre si. São o quê? São aparentados, é claro. Afinal, ambos têm um irmão comum. E esse caso, hoje em dia, é quase corriqueiro. Seriam o quê? Co-irmãos? Ou irmãos-por-tabela?

O meu caso com o Loyola, mais especificamente. Tenho dois sobrinhos, o Mario e o João, que são irmãos dos filhos dele, o Daniel e o André. Então, os filhos dele seriam meus quase-sobrinhos? Ou sobrinhos-tortos? Continuando o raciocínio, meus filhos são primos do Mario e do João e não são nada dos irmãos deles? Não é esquisito? E eu e o Loyola? Os filhos do Loyola são irmãos dos meus sobrinhos. Como

I

Mateus M
1985
brasilianista
São Paulo
pág. 170

é que chama esse meu parentesco com o Loyola, senhoras filólogas? Se até o nome filóloga existe (e não trata dos filhos), acho direito ter um nome para esse parentesco.

Como se isso não bastasse, um desses meus sobrinhos (irmão dos filhos do Loyola) parece que tem um romancinho com a filha do **Mateus Shirts**, a Maria. Logo, a Maria — que já é minha afilhada — passa, também, a ser minha sobrinha. Logicamente que essa minha sobrinha passa a ser cunhadinha dos filhos do Loyola. Donde se conclui que o Loyola passa a ser parente do Mateus. Com que nome?, eu pergunto.

E eu e o Mateus, como nos chamaremos? Co-sogros-quase-pais-tios? A coisa é tão confusa que parece até que eu e o Mateus temos uma filha comum. Ou que o Loyola é avô dele mesmo. E eu tio da primeira mulher do Loyola.

É preciso dar nomes aos bois e aos bezerrinhos. Outro dia, a Talita, uma jovem atriz me contou uma história incrível.

Estava ela a fazer um comercial. Ela, com 20 anos e o par romântico — sim, era um comercial romântico — era um garoto da mesma idade. A cena era um beijo na boca. E comercial, grava-se trocentas vezes a mesma cena. Depois de beijar o rapaz pela centésima vez, começam a conversar, papo vai, papo vem, ela diz:

— Então você é filho do Nelson Pereira dos Santos? Eu sou neta.

— Então eu sou seu tio!

E era. E continuaram a gravação, sem levarem muito em conta o — como é mesmo o nome? — o incesto. O simpático incesto.

E assim anda a vida aqui nesse final de milênio. Já arrumaram até nome pra confusão que vai dar nos computadores no dia 31 de dezembro de 1999, à meia-noite. Chama-se *bug*. O *bug* do milênio.

E esse *bug* familiar, como fica?

Repito: o que é que eu sou do Loyola? Além de fã, é claro?

I

IREDE CARDOSO, jornalista (São Paulo, 1970)

Desceu do carro para abrir a garagem e o garoto meteu o revólver na cara dela. Assalto, dona! Entraram os dois. A empregada percebeu, pulou o muro, foi na vizinha, que ligou para a polícia que chegou e cercou tudo. Ela:

— É melhor você fugir, garoto. Vem por aqui. E, olha, volta amanhã às cinco da tarde pra continuar o assalto.

E ele voltou no dia seguinte na hora marcada. Ela arrumou um emprego para ele na *Folha de S. Paulo.*

A última notícia que eu tive dele é que era chefe do departamento de entrega por caminhões.

IRENE RAVACHE, atriz (São Paulo, 1970)

Foi no bar do **Luiz Carlos Paraná**, o Jogral, que eu vi a Irene pela primeira vez.

L **Luiz Carlos**
1971
compositor
São Paulo
pág. 150

Nova no pedaço, o Paraná me deu a ficha: atriz, chegou há pouco do Rio e é casada. Com um milico.

Aquilo era um aviso de amigo: milico.

Ela se sentou entre mim e o Edson. O jornalista devia estar com a ficha limpa porque logo se casaria com ela.

Quando fomos apresentados:

— *Sou atriz, estou chegando do Rio, não conheço quase ninguém em São Paulo. Você não quer escrever uma peça para mim?*

Estava em cartaz a minha primeira peça, *Cordão Umbilical.* Prêmios.

E eu, 24 anos, achando que estava com a corda toda:

— Mas eu nem sei se você é boa atriz.

Ela, finíssima:

— *E eu lá sei se você é bom autor, menino!*

Um dia, anos depois, eu abri uma janela e ela estava atravessando a rua, me viu e disse:

— *E eu lá sei se você abre janela bem!?*

E eu:

— E eu lá sei se você atravessa a rua bem!?

Pois é. Até hoje não escrevi a peça. E ela está cada vez melhor. E sempre com o adorável Edson ao lado.

ÍTALA NANDI, atriz (Rio, 1970)

Minha comadre. Sou padrinho do filho dela com o André Luiz, o Trinity Nandi Faria.

Cinema. A cena era a seguinte. Ela saía do mar nua, deitava na areia. Com o sol nascendo. Repetiram a cena umas dez vezes, como é normal. Entre uma tomada e outra, a comadre ali, deitada na praia, nua, fumando e esperando.

Nisso, o motorista da Kombi de filmagem, que estava começando em cinema naquele filme, depois de umas cinco tomadas, teve um ataque e começou a gritar:

— Porra, só tem viado aqui? Todo mundo é viado, porra! A gostosa taí pelada há uma hora e ninguém come, porra!?

JAIR MARI, psiquiatra (São Paulo, 1993)

Sentei-me na poltrona. Nego-me ao divã. Jamais me deitarei num divã, de costas para o homem. E começamos aquele lero-lero de louco para louco.

O consultório dele fica num 12º andar, com uma vista bonita lá para os lados do Ibirapuera. Já havíamos tocado naqueles pontos básicos do pânico, como a mãe da gente (qual é a mãe que não deixa a gente em pânico?), dos filhos da gente (filho adolescente dá pânico, sim) e da namorada (é sempre um panicozinho), quando eu observei, pela janela, do outro lado da rua (provavelmente na Doutor Bacelar), uma moça que acabava de acordar e estava, sumariamente vestida, na varanda do seu (suponho) também 12º andar.

Dava para ver bem o jeitão (jeitinho) dela. Pouco mais de 20 anos, se tanto. Loira, cabelos compridos onde ela teimava em passar um pente branco e grosso diante do vento quente daquela manhã.

O doutor fazendo explanações sobre os meus problemas e eu, alheio, olhando pela janela, resmungava uns sins e uns nãos, quando não passava de hum-hum. Foi quando ele pediu que eu falasse da minha relação com não sei mais quem, que eu vejo que surge outra moça na sacada. Devem ser irmãs, pensei.

A segunda irmã era ainda melhor. Shortinho, joelho carnudo, firme e, para minha maior excitação, mordia uma suculenta banana. Devem ser estudantes de medicina da Paulista. Devem morar no interior. Comecei a viajar na história delas. Meu pânico tinha ido para o diabo. Estava, literalmente nas nuvens, já me imaginando deitado no divã delas, contando tudo-tudo-tudo.

Mas o meu psiquiatra me trazia de novo à Realidade panicada dos meus dias terrenos. E financeiramente, como está? Sempre me dá vontade de dizer que estou na pior, para uma certa compaixão dele na hora de deixar o pagamento. Acho que era Freud o assunto agora. Ou seria esquizofrenia?

Foi quando entrou na sacada, lá do lado de lá, que estava cada vez mais do lado de cá, a terceira. Outra irmã? De calcinha e sutiã? Estava. E o mais grave e estimulante: escovando os dentinhos. Não há nada que excite mais um homem do que uma mulher escovando os dentes, numa sacada, a 50 metros da Realidade, com o vento batendo nos seus cabelos loiros e aneladinhos. Como escovava bem os dentes, a menina! Ia fundo, girava nas laterais, de baixo para cima, em ovais nas gengivas. Exatamente como os dentistas mandam a gente escovar.

Foi quando ele sacou que eu não estava nem aí. Disse para ele o que eu estava vendo. Ele se levantou (o que me deu liberdade para me levantar também) e fomos ambos para a janela. Ele gostou. Gostou tanto que abriu um pouco mais a persiana para a gente ver melhor. Ele se amarrou mais na que mordiscava a banana e eu fiquei com as outras duas, embora não tirasse o olho da que escovava os dentes.

Lembrei-me de um sabonete de muito antigamente (no psiquiatra a gente lembra tudo!) chamado As Três Moças do Sabonete Araxá, acho. Na embalagem, o desenho de três lindas meninas. Aquelas mesmas que estavam ali, na nossa frente, preparando-se para enfrentar o dia-a-dia, o pânico-a-pânico. Não sei se foi o Drummond ou o Bandeira quem fez uma poesia para as meninas do Araxá. Mas alguém fez.

Deixamos o meu pânico para lá e tecemos comentários sobre a anatomia de cada uma. A visão feminina de um psiquiatra deve ser considerada sempre, nessas horas. Elas riam, estavam felizes. Nós dois também. O tempo da "consulta", infelizmente, acabou.

— *Você está ótimo!,* disse-me ele.

— Você também!, disse eu, vendo a persiana se fechar.

Paguei (com prazer) e perguntei:

— Posso voltar amanhã?

— *Claro. Vem nessa hora. Elas sempre acordam a essa hora.*

JEAN-CLAUDE CARRIÈRE, roteirista (São Paulo, 1994)

Só vi esse cara uma vez, o suficiente para ouvir a história, que se parece um roteiro.

O Discreto Charme da Burguesia era o segundo filme que ele roteirizava para o Buñuel. Buñuel estava com 72 anos e ele com menos de 40.

Quando ele apresentou a primeira versão do roteiro, o Buñuel leu, fez os comentários e disse:

— A minha loucura está apenas um dedinho acima da Realidade. Essa cena do almoço que, quando termina, abre a cortina e eles estão num palco e a platéia aplaude, está dois dedinhos. Você exagerou.

Quando o Carrière apresentou o segundo tratamento do roteiro, tinha feito outras modificações, mas a cena, aquela, estava lá, intacta. Buñuel leu, nem falou nada. Só mostrou os dois dedinhos para ele.

O que importa é que ele insistiu e o Buñuel acabou filmando a cena como ele queria. Na estréia, em Paris, a cena na tela, o Buñuel vira-se pra ele e mostra os dois dedinhos.

O filme ganhou Oscar de melhor filme estrangeiro de 72, o Carrière foi indicado para melhor roteirista.

Em 1983, Buñuel agonizava, aos 83 anos, num hospital na Cidade do México. Carrière foi ver o Mestre, pela última vez.

Quando estava saindo do quarto, Buñuel uniu os dois dedinhos, levou aos lábios e jogou um beijo para ele.

JEFFERSON DEL RYOS, jornalista (São Paulo, 1969)

Eu morava na rua Paim, devia ser meia-noite, voltava da faculdade de Economia pra casa. Passo em frente a uma casa na Manuel Dutra e tem uma senhora festa lá dentro. Vi uns artistas da peça *Roda Viva* no fundo. Já que a porta estava aberta, entrei.

Minha vida nunca mais seria a mesma. Logo descobri que a casa era do Jefferson, que ele era jornalista e a festa se chamava *happening*. Moravam lá, também: José Agripino de Paula, escritor, Maria Esther Stocker, genial bailarina e Rodrigo Santiago, ator que tinha acabado de chegar de Belo Horizonte. A classe teatral ali, em peso. Tudo moleque. Eu, estudante e bancário, pirei. Nunca tinha visto aquilo.

Vi, pela primeira vez, homem beijando homem. Até então achava que viado só dava. Beijo na boca foi demais.

Mas, para compensar, as meninas começaram a fazer *strip-tease*. Da Marília Pera, que seria espancada daí a uns dias pelo Comando de Caça aos Comunistas, vi o peitinho.

No dia seguinte, contei no Banco, os colegas disseram que eu estava delirando. Teve um até que veio me perguntar se a Tônia Carrero dava e quanto cobrava.

Acho que foi nesse dia que comecei a achar a minha turma. Estava com 22 anos.

JOÃO BOSCO, compositor (Santo André, 1978)

O show ia ser no Teatro Municipal de Santo André. Ele passou de Kombi para pegar a Marta e eu. Na Kombi já estava a mulher dele, mais o Pena Branca e a namorada. Fomos para o ABC. Era um show de banquinho e violão.

Para você ter uma idéia de quem era o Pena, basta dizer que ele deu uma famosa entrevista para o *Pasquim*, que depois virou *best-seller* em livro. O nome: Barra Pesada. O Pena era jornalista policial. Talvez o melhor que o Brasil já tenha conhecido.

Já na ida, o Pena e a namorada estavam se estranhando. Quando chegamos lá, o teatro superlotado. A solução foi arrumarem quatro cadeiras e eu e a Marta e o casal Pena ficamos num cantinho do palco. No centro, o banquinho, o violão e o João com bandeide no calcanhar, dançando dois pra lá dois pra cá.

O que aconteceu é que o Pena e a namorada continuaram a brigar ali, no palco, ao nosso lado. E começou a baixaria. O nível foi baixando. Puta, era elogio. Brocha, era meiguice. Foi quando a Marta me cutucou. Ninguém da lotada platéia estava mais olhando ou ouvindo o João Bosco.

Todos os olhares estavam no nosso canto. Marta, grávida da **Maria**, morta de vergonha, não abortou por pouco.

O show terminou em porrada. Um sucesso.

M **Maria**
1990
estudante
São Paulo
pág. 162

JOÃO BOSCO VALVERDE MATOS, estudante (Lins, 1961)

O banheiro da casa dele era grande. Como grande era o cesto de roupa suja. Cinco irmãos. E nós, 15 anos, um a um, revezávamos dentro do cesto, no meio da roupa suja, nos dias de festa.

Pra ver as meninas fazendo xixi.

JOÃO UBALDO RIBEIRO, escritor (Rio Preto, 1998)

O João tava bebendo além da conta, então eu resolvi levar ele lá em Rio Preto para tomar aquela injeção que faz parar de beber.

Fomos de avião. Pra azar dele, naquela semana, ele era capa da *ISTOÉ*, sobre uma matéria com alcoólatras.

Lá, ele contava, entre outras coisas, que antes das nove da manhã ele já tinha saído de casa três vezes, para comprar pão na padaria onde bebia odete (Old Eight). Mas o pão, ele trazia.

— *Quando eu aceitei sair na capa da* ISTOÉ, *eu não tinha sacado que ficam esses cartazes enormes com a capa da revista espalhados por tudo quanto é banca e parede.*

Realmente a cara dele, enorme, estava em toda parte do aeroporto de Rio Preto.

Na volta, já vacinado, dois sujeitos, de terno, no aeroporto, chegam até nós dois. Um apontava para o João Ubaldo, depois de cumprimentá-lo e, já íntimo, fazia a apresentação para o outro executivo:

— Esse aqui é o João Ubaldo de Oliveira, compositor. Conhece não? Tá na capa de *Veja.*

E foram embora. O João:

— *Um de nós bebeu!*

Depois, no avião, desviando os olhares da garrafa de J&B que passava no carrinho, disse:

— *Vou chegar lá no Rio, reunir a Berenice, os filhos e a empregada e vou logo avisando: a partir de agora, nessa casa, quem quiser comer pão, que vá comprar!*

JOAQUIM NAGIB HAICKEL, deputado (Sorocaba, 1997)

Grande, muito grande, o nobre deputado maranhense. Só podia ter conhecido lá no São Pedro-Spa, em Sorocaba. O **Fernando Morais** já havia me falado dele. Figuraça. Foi fácil ficar amigo do Joaquim.

Fernando F
1998
escritor
Sorocaba
pág. 88

Um dia, a gente estava jantando em São Paulo num japonês, comendo tudo que não podia comer no spa. Ele fala muito alto.

E alto, contava casos escabrosos da política em Brasília, casos de corrupção, propinas. Eu sabia que todo mundo estava ouvindo e o Joaquim nem aí. E ainda por cima, citava nomes.

Até que chegou uma hora, ele falou baixinho, quase no meu ouvido:

— *Vou te dizer uma coisa agora que ninguém sabe. Só você vai saber. E, se por um acaso, alguém descobrir isso, foi você quem contou. Promete nunca contar pra ninguém? Nem escrever? É grave!*

Falso, prometi curioso.

Ele, quase aos sussurros, deixando a japonesada curiosa:

— *Sabe o lavabo do restaurante lá do spa? Eu escondo chocolates atrás da caixa da descarga!*

JOSÉ DE ANCHIETA, artista plástico (São Paulo, 1981)

Foi na posse da rainha Guilhermina I, na Holanda, que o destino quis assim.

E a história (real, como Guilhermina) foi-me narrada pelo Anchieta em tarde de cerveja, churrasco e camaradagem na casa que hoje é da **Tícha Gregori**. Tudo porque eu perguntei a este pernambucano o porquê dos olhos verde-azulados. Ainda a ocupação holandesa?

T **Tícha** 1996 do lar e do bar São Paulo **pág. 232**

Ele, orgulhosamente nordestino de Caruaru:

No dia da posse da rainha, houve uma festa no porto de Amsterdam. Isso, em 1890. Tava lá um navio, prestes a partir, aberto para a visitação pública. Um garoto curioso, loirinho, que entrou com a família, se perdeu lá dentro.

E o navio partiu. Com ele dentro. Quando descobriram, já era tarde.

A primeira parada foi no Recife. O menino — que, evidentemente, não falava português — foge pela cidade. Perambula por ali sem entender absolutamente nada. Cinco anos de idade. Os nativos chamam o garoto de Branco, Zé Branco, o loirinho de olhos azuis, com pinta de Pequeno Príncipe. Uma família de Caruaru o adota. Cresce, casa, tem a minha mãe.

J

Não só a minha mãe. Teve 45 filhos com três mulheres, até morrer, aos 99 anos. Coronel Zé Branco.

Durante toda a sua vida, teve tutores. Queria ser culto.

Era autoritário o Vô Branco. Ele escolhia a profissão dos netos e dava os nomes apropriados. Tenho um primo Rui Barbosa, que deveria ser advogado. O Marechal Deodoro não conseguiu entrar na Academia Militar, mas tentou. Duque de Caxias, Hermes da Fonseca, Santos Dumont, Oswaldo Cruz, Chiquinha Gonzaga e a primeira bisneta chama Leila Diniz. Tá tudo lá em Caruaru plantando mandioca. Eu, por exemplo, passei alguns anos no seminário.

Entendeu? Não acreditou não, né?

JOSÉ LUIZ FRANCHINI RIBEIRO, administrador (São Paulo, 1971)

O Jogral. Era um bar, pequeno. O quê? Cem pessoas? Por aí. Não se fazem mais bares como antigamente. Também não se faz mais final de década como a dos anos 60. Minissaia, homem descendo na lua, festivais da Record, Jovem Guarda, Tropicalismo, Cinema Novo, Arena, Oficina, Chacrinha. Todo mundo era garoto. Todo mundo tinha entre 20 e 25 anos. O golpe militar tinha seis e era perigoso até mesmo dizer que estudava na USP. Tinha gente sumindo pelo buraco do ladrão.

O Jogral era a válvula de escape. O Old Eight deste que te escreve, na época estudante de economia na USP e mui digno funcionário do Banco do Brasil, na Penha e, depois, no Brás.

Foi no Jogral que eu ouvi pela primeira vez a expressão "deu cinco, sem tirar". Era a Elza Soares comentando a *performance* — fora do campo, ou dentro — do nosso mágico Garrincha. O **Paraná**, o dono, que me contou.

O Jogral, do porteiro Carlinhos que conhecia os freqüentadores todos. E se você chegava com uma mulher diferente ele dizia: 'sumido, doutor!', e o doutor era eu que estivera na véspera com outra.

O Jogral, do garçom Joãozinho. No palco, o piano afinadíssimo do Mario Edson, a voz macia da Ana Maria

Luiz Carlos L
1971
compositor
São Paulo
pág. 150

Brandão. E quando o Manezinho da flauta solava um Pixinguinha?

Na mesa ao lado você podia ver a Maysa vomitando aos pés do Trio Mocotó. E as canjas? **Chico**, Gil, Jorge Ben, Toquinho, Maranhão. Foi lá que ouvi, pela primeira vez, "Aquele Abraço", do Gil que partiria exilado na semana seguinte. Jorge Ben fazia suas músicas e ia testar lá. Tudo moleque.

A voz de veludo do Adauto Santos, parceiro do Paraná em tantos sambas. E tinha só uma garrafa de cachaça, que era do Paulo Vanzolini. É provável que até hoje o Vanzolini não saiba que o Paraná roubava a cachaça dele e dava pra gente, quando a dureza apertava. De noite eu rondava a cidade.

Mas uma das histórias que mais me marcou no Jogral foi tragicômico-política.

Meu companheiro de Jogral — quase todas as noites — era o Zé Luiz. Colega da faculdade. Trabalhava na Globo, que engatinhava. Vendia anúncio. Hoje, mais amigo do que nunca, é o diretor geral comercial de toda a rede.

Aconteceu que o Zé foi um dia para o Rio de manhã para voltar de noite. Perdeu a carteira de identidade lá e não podia embarcar de volta. Naquele tempo — pouco depois do AI-5 —, na ponte-aérea, além de mostrar os documentos, revistavam a gente todinho e a bagagem e a mala de mão. Andavam acontecendo seqüestros de aviões.

Lá, no Rio, encaminharam o Zé Luiz para a Aeronáutica. Um tenente deu um documento para ele com papel timbrado das Forças Armadas e ele embarcou.

Chegou em São Paulo e foi direto para o Jogral.

Naquele tempo, eram comuns batidas das Forças Armadas em bares e restaurantes. E ai de quem não estivesse com todos os documentos em dia. Era levado e nem sempre trazido de volta.

Pois, naquela noite, chegam os milicos, acendem todas as luzes e começam a revista, metralhadoras empunhadas. Quando chegou no Zé Luiz, que já suava frio tomando Old Eight no balcão, ele ficou com medo. Além de não ter o RG

J

C **Chico**
1998
compositor
Paris
pág. 55

J

ele só tinha a carteirinha da USP, o que era pior ainda. Gelou. Chegou o sargento:

— Documentos, ô bonitinho.

— *Seguinte, seu sargento, eu só tenho esse documento aqui e...*

E mostrou o papel timbrado das Forças Armadas Brasileiras. O sargento sorriu ao ver o brasão militar e deu uma piscada e um tapinha na barriga dele. Logo em seguida vinha outro militar para fazer o pente fino no Zé Luiz. Ao se aproximar, foi barrado pelo milico anterior que disse:

— Esse aí, não. Esse aí é dos nossos!

JOSÉ MÁRCIO PENIDO, jornalista (Rio, 1973)

Ele morava em São Paulo mas foi ao Rio para fazer a crítica da minha primeira peça, *Cordão Umbilical*, para a *Veja*. Depois do espetáculo fomos eu, ele, o **Aderbal**, diretor da peça e sua mulher Alice até a casa do Carlos Imperial fumar um, antes de ir comer.

Aderbal A
1973
diretor de
teatro
Rio
pág. 20

Não, o Imperial, apesar de tudo, não transava fumo. Eu era hóspede dele, que era o produtor da peça. Mas a gente fumou. Fortíssimo!

A gente desceu para a avenida Nossa Senhora de Copacabana. Os quatro. Estávamos tão loucos que mal sabíamos quem éramos, donde a gente vinha e nem para onde ir. Mas ficar os quatro parados ali na esquina, gargalhando, era bandeira demais. E, naquela época, a repressão era pra valer. Era subversão fumar maconha. Pensando bem, tudo era subversão. E era mesmo isso que a gente queria fazer. Subverter a ordem e o progresso dos milicos.

Fizemos uma rápida e engraçadíssima reunião e resolvemos que a solução era pegar um táxi e ir para a Fiorentina, lá no Leme. A larica tinha batido. Decidimos que o Zé Márcio, que estava de terno, iria na frente para impor um mínimo de respeito junto ao motorista. E mais: que a gente não deveria conversar absolutamente nada para não levantar suspeitas.

Entramos nós três atrás e o Zé que limitou-se a dizer Fiorentina-Leme, firme, sem nenhuma bandeira, na frente.

O céu estava estrelado. Estava uma noite linda. Lua cheia. Lá íamos nós. Até ali, tudo bem.

Até que o Zé Márcio começou a achar que a gente estava num silêncio muito grande e o silêncio em si já era uma bandeira. E resolveu puxar conversa com o motorista, para disfarçar:

— *Que chuva, hein?*

JOSÉ MARIA PRATA, estudante (Lins, 1965)

Sempre fez coisas engraçadas esse meu irmão caçula.

Visita do doutor Santana, que não ia embora nunca. O Zé ali na sala:

— *Vocês vão demorar pra ir embora? Sabe por causa? Por causa que eu durmo nesse sofá.*

Visita do doutor Antenor, que tinha vitiligo:

— *O senhor tomou banho e não limpou direito o talco.*

Visita do seu Aurélio, que tinha um carro velho chamado Brucutu:

— *E aí, seu Aurélio, como vai o seu Brutucu?*

Visita do doutor Nestor que pede para ele dizer Nabucodonosor:

— *Na bunda do doutor Nestor!*

E, por falar em bunda, ele tinha uns 10 anos quando entrou, junto com o Edgarzinho, naquele quarto que tinha fora de casa. Fecharam a porta.

Da copa de casa, minha mãe viu. Chamou o tio Padre pra assuntarem. Eu estava do lado, vendo a movimentação, já imaginando o desfecho da cena. Deu dez minutos e a discussão é se alguém ia lá ou não.

Foram o padre e a minha mãe. Fui atrás, meio escondido, olhando de soslaio.

Abrem a porta do quartinho e ninguém lá dentro. No fundo tinha um armário grande, vazio. O padre abriu a porta.

J

O Edgarzinho tava tentando comer o meu irmão. E o Zé Maria, no ato:

— *Mas eu comi primeiro, mãe! Mas eu comi primeiro!*

JOSÉ OSCAR BEOZZO, padre (Lins, 1998)

Era uma sagrada família um pouco maior que a conhecida. Eram quatro Marias e quatro Josés. Das Marias, a Maria Emília, a Lia. A Ana Maria, a Mana, a Zelia Maria e, a última, uma Maria angélica, uma **Ticá**. Dos Josés, o mais velho, Oscar, como o pai. Um Estevão, um todo **Gutão** amigo e um benedito Benê que insiste em não mudar sua cara na nossa lembrança. Continua moleque e, como se a Bélgica fosse muito perto, pegou sua moto e foi para o céu, lugar de tantas Marias e tantos Josés. E de santos.

Ticá T
1968
estudante
Rio Claro
pág. 231

Gutão G
1978
dentista
Munique
pág. 95

A primeira imagem que guardo do Zé Oscar, cinco anos mais velho que eu, é de nós, os outros Josés, jogando basquete com ele lá no Salesiano. Ele era seminarista, irmão mais velho de estevãos, augustos e beneditos. Eu já achava ele meio estranho. Como é que um cara que vai ser padre, joga basquete? E férias? Eu achava que seminarista ficava se autoflagelando o dia inteiro, se penitenciando, rezando por nós, pobres pecadores, do lado de cá do muro. Sim, aquele outro muro estava sendo erguido. E aquilo intrigava o desajeitado jogador de basquete.

Depois, foi para Roma que, naquela época era muito mais longe. Um dia, a dona Gessy pegou um avião e foi ver o filho mais velho ser ordenado padre. Em Roma!, cochichava-se nas matinês do cine São Sebastião, o Palácio Encantado da Noroeste. Vai ser Santo!, profetizavam as beatas. Comunista!, injuriavam outros.

Os oito filhos da dona Gessy e do seu Oscar são excepcionalmente inteligentes. E viajores. Já disse: para eles a Bélgica é pouco, é ali na esquina. Para onde iria Ele depois de Roma? Qual seria o roteiro da sua viagem, depois de Roma? O espaço sideral, junto com Gagarin? Ou a periferia de Lins? A terra é azul, admirou-se Gagarin. Pois vai continuar azul.

Pois vai continuar, deve ter pensado o Beozzo mais velho e mais sábio.

Filósofo, teólogo e sociólogo. Português, inglês, francês, alemão, italiano. Fala, lê e escreve. Querem mais? Latim e grego. Foi assim que ele voltou.

E voltou, de Roma diretamente para a Vila Junqueira e para a Paróquia que lembra o seu irmão, São Benedito. Pasmem, voltou de bicicleta. E nunca foi atropelado. Caiu num buraco, uma vez. Mas quem, entre nós, que quer ver a terra e o céu azul, nunca caiu num buraco, olhando para o céu?

JOSÉ ROBERTO, médico (Sorocaba, 1997)

Spa. Sorocaba. Me interno para exames gerais e específicos. Uma geral mesmo.

Próstata, algum problema no exame. Faço um ultra-som. Uma marquinha. Havia me esquecido de dizer ao clínico geral que eu havia tido uma prostatite há uns 15 anos. Ele acha melhor fazer um toque definitivo. Amanhã o urologista vem aqui, me informa.

— O urologista é gordo?

— Médio. Chama-se doutor Bráulio.

— Tá me gozando.

Dia seguinte estou eu a fazer a minha hidroginástica, quando vem a enfermeira:

— O doutor está te esperando.

Passo no meu apartamento, lavo as partes, coloco uma cueca nova e desço para o sacrifício.

Ao cumprimentar o simpático médico, a primeira coisa que fiz foi olhar o dedo indicador dele. Médio. Na sala, uma daquelas mesas de examinar mulher, onde elas colocam as pernas para cima. "Vai ser de frente. Mais constrangedor ainda." Mas ele me mandou sentar, antes.

— *Tudo bem?*

— Sim.

— *Você tem algum problema mais sério?*

— Como assim?

J

— *Algum trauma de infância?*

— Bem, já fiz troca-troca. Mas era molequinho.

— *Mas isso te traumatiza até hoje?*

— Claro que não. Mas o senhor há de convir que nesta idade, não é mesmo? Logo pela manhã.

— *Você não gosta de falar nesse assunto?*

— Doutor, não é melhor ir logo ao negócio? Acabar logo com isso de uma vez? O senhor vai usar luvas, não vai?

— *Luvas? Para quê?*

— O senhor não vai me dedurar?

— *Para os colegas? Só se o seu problema for mesmo muito sério. Terei que ter uma reunião com eles. É assim que procedemos.*

— Posso tirar a roupa?

— *Tirar a roupa? Como assim?*

— O senhor não vai me fazer o toque?

— *Toque? Onde?*

— Ora, doutor Bráulio, vamos acabar logo com isso.

— *Bráulio? Bráulio é o urologista. Eu sou o psiquiatra. Zé Roberto.*

JOSÉ RUBENS SIQUEIRA, diretor de teatro (São Paulo, 1969)

Eu estava no palco do centro acadêmico da Economia, interpretando um texto do **Campos de Carvalho**, num show de calouros.

Campos C
1998
escritor
São Paulo
pág. 48

Foi quando ele chegou, se apresentou dizendo-se diretor de teatro. Até então eu achava que diretor de teatro era velho. Aquele diretor era da minha idade. Mas quando ele disse:

— *Você é um ator!*,

achei que ele devia ser um diretor.

Naquele momento eu comecei a entrar para o teatro.

O CCC (Comando de Caça aos Comunistas) andava atacando covardemente os atores das peças, depois dos espetáculos. E nós, estudantes, fazíamos um negócio chamado Segurança.

Consistia em ir a determinado espetáculo — previamente avisado — com umas barras de ferro escondidas nas pernas. E a gente sentava no meio do público. Assim que terminava a peça a gente pulava para cima do palco e ficava lá, de pernas abertas, machos paca!, com o porrete nas mãos, fazendo uma cerca. Atrás da gente os atores agradeciam os aplausos.

Foram as primeiras vezes que subi num palco. Minha vida nunca mais seria a mesma.

E o Zé Rubens foi fundamental nessa guinada. Me estimulou a escrever e depois dirigiu minha primeira peça *Cordão Umbilical.*

Vimos o homem descer na lua juntos, lá no bloco D do Copan. Eu, ele e a Maria Helena.

O mundo estava mesmo mudando.

JOSÉ WILKER, ator e escritor (Rio, 1986)

O seu **Adolfo Bloch** queria porque queria que o Zé assumisse o cargo de diretor de dramaturgia, na Manchete. Mas o Zé, então na Globo, tinha mil compromissos. Inclusive um filme nos Estados Unidos com a Beth Midler. Mas o seu Adolfo insistindo e ele com novelas, filmes, crônicas, teatro, tudo programado para o ano.

A **Adolfo** 1987 dono de televisão Rio **pág. 21**

— *Seu Adolfo, se a gente for considerar tudo que eu tenho pra fazer este ano, só se o senhor me pagar 400 mil por mês.*

Não me lembro que moeda era naquela época, mas era muito, muito dinheiro.

Dias depois ligou alguém da Manchete, dizendo que eles pagavam 150.

— *Vocês não estão entendendo. Por menos de 400, estou perdendo dinheiro.*

Mais dias e subiram para 250. Ele ligou para o seu Adolfo.

— *Seu Adolfo, peça aí pru pessoal não telefonar mais, por favor.*

— Venha já para cá. Vamos conversar.

J

Depois de duas horas de conversa lá no restaurante, com aquela vista maravilhosa da baía da Guanabara o seu Adolfo bateu na mesa:

— 398 e não se fala mais nisso!

— *400, seu Adolfo.*

Seu Adolfo vai até a janela, chama o Zé para perto da exuberante vidraça.

— Vamos fazer o seguinte. Eu te pago os 400. Mas todo mês você me devolve dois mil. Certo?

Todo mês o Zé Wilker ia atrás do homem com dois mil no bolso. E o seu Adolfo pegava.

JULINHO DA ADELAIDE, compositor (São Paulo, 1974)

Me lembro até da cara do Samuel Wainer quando eu disse que estava pensando em entrevistar o Julinho da Adelaide para o jornal dele. Ia ser um furo. Julinho da Adelaide, até então, não havia dado nenhuma entrevista. Poucas pessoas tinham acesso a ele. Nenhuma foto. Pouco se sabia de Adelaide. Setembro de 74. A coisa tava preta.

— Ele topa?

— Quem, o Julinho?

— Não, o **Chico**.

Chico C
1998
compositor
Paris
pág. 55

O Chico já havia topado e marcado para aquela noite na casa dos pais dele, na rua Buri. Demorou muitos uísques e alguns tapas para começar. Quando eu achava que estava tudo pronto o Chico disse que ia dar uma deitadinha. Subiu. Voltou uma-hora-depois. Lá em cima, na cama de solteiro que tinha sido dele, criou o que restava do personagem. Quando desceu, não era mais o Chico. Era o Julinho. A mãe dele não era mais a dona **Maria Amélia** que balançava o gelo no copo de cachaça. Adelaide era mais de balançar-os-quadris.

Mª Amélia M
1972
do lar da
Buri
São Paulo
pág. 159

Julinho, ao contrário do Chico, não era tímido. Mas, como o criador, a criatura também bebia e fumava. Falava pelos cotovelos. Era metido a entender de tudo. Falou até de meningite nessa sua única entrevista a um jornalista brasileiro. Sim, diz a lenda que Julinho, depois, já no ostracismo, teria dado um depoimento ao brasilianista de Berkeley, Matthew Shirts. Mas nunca ninguém teve acesso a esse material. Há também boatos que a Rádio Club de Uchôa, interior de São Paulo, teria uma gravação inédita. Adelaide, pouco antes de morrer, ainda criando palavras cruzadas para o *Jornal do Brasil*, afirmava que o único depoimento gravado do filho havia sido este, em setembro de 1974, na rua Buri, para o jornal *Última Hora*.

Como sempre, a casa estava cheia. De livros, de idéias, de amigos. Além do professor Sérgio Buarque de Hollanda e dona Maria Amélia, me lembro da Cristina (irmã do Julinho, digo, Chico) e do Homerinho, da **Miúcha** e do capitão **Melchiades**, então no *Jornal da Tarde*. Tinha mais irmãos (do Chico). Tenho quase certeza que o Álvaro e o Sergito (meu companheiro de faculdade de Economia) também estavam.

M **Miúcha**
1973
cantora
Rio
pág. 178

Quem já ouviu a fita percebeu que o nível etílico foi subindo pergunta a resposta. O pai Sérgio, compenetrado e cordial, andava em volta da mesa folheando uma enorme enciclopédia. De repente, ele a coloca na minha frente, aberta. Era em alemão e tinha a foto de uma negra. Para não interromper a gravação, foi lacônico, apontando-com-o-dedo:

M **Melchiades**
1971
jornalista
São Paulo
pág. 174

— Adelaide.

Essa foto, de uma desconhecida africana, depois de alguns dias, estaria estampada na *Última Hora* com a legenda: arquivo SBH. Julinho não se deixaria fotografar. Tinha uma enorme e deselegante cicatriz muito mal explicada no rosto.

Naquelas duas horas e pouco que durou a entrevista e o porre, Chico inventava, a cada pergunta, na hora, facetas, passado e presente do Julinho. As informações jorravam. Foi ali que surgiu o irmão dele, o Leonel (nome do meu irmão), foi ali que descobrimos que a Adelaide tinha dado até para o Niemeyer, foi ali que descobrimos que o Julinho estava puto com o Chico

— *O Chico Buarque quer aparecer às minhas custas.*

Para mim, o que ficou, depois de quase 25 anos, foi o privilégio de ver o Chico em um total e superempolgado momento de criação. Até então, o Julinho era apenas um pseudônimo pra driblar a censura. Ali, naquela sala, criou vida. Baixou o santo mesmo. Não tínhamos nem 30 anos, a idade confessa, na época, do Julinho. Hoje, se vivo fosse, Julinho teria 55 anos. Infelizmente morreu. Vítima da ditadura que o criou.

Há quem diga porém que, como James Dean e Marilyn Monroe, Julinho estaria vivo, morando em Batatais, e teria sido ele o autor do último sucesso do Chico, "A Foto da Capa". Sei não, o estilo é mesmo o do Julinho. O conteúdo então, nem se fala.

KARINA ALMEIDA, estudante (Belo Horizonte, 1999)

Ela:

Conheci o seu trabalho por meio da ISTOÉ. *Gostei muito e fiquei sua fã número um ao ler a crônica "Eu, quem diria, virei bolsinha". Meu professor de português (da FAFI-BH) pediu para fazermos um trabalho em grupo sobre crônicas/cronistas e indicou vários nomes: entre eles Veríssimo,* **Arnaldo Jabor***... e Mario Prata. Eu, claro, fui correndo reservar o "Mario Prata" para o meu grupo. Por causa deste trabalho, descobri a sua home page.*

Adorei ler a sua biografia e conhecer um pouquinho mais do seu trabalho. Estou cada vez mais sua fã! FELIZ ANIVERSÁRIO DE CORAÇÃO!!!!!!!!

Um abraço.

*

Eu:

muito obrigado pelo seu e-mail. um beijo.

*

Ela:

Mandei um e-mail para vc no seu aniversário e recebi uma resposta dia 25. Superfeliz, contei pra todo mundo: "O Mario Prata mandou um e-mail pra mim!!!" Sabe o que todo mundo disse: "Sua boba, é claro que não foi ele, o Mario Prata ia mandar um e-mail pra vc?!?" Mas eu acho que foi vc sim. E continuo superfeliz.

Obs.: Este não seria um bom pretexto para uma crônica? Um abraço.

*

Eu:

diga às suas amigas que, em são paulo, tem três mario prata.

um é mario alberto prata e é escritor.

um é mario antônio prata e é fazendeiro.

um é mario augusto prata e é dentista.

qual será que mandou o e-mail pra você?

*

K

A **Arnaldo**
1999
escritor
São Paulo
pág. 32

Ela:

Agora que já somos amigos (pelo menos eu me considero sua amiga — tudo bem que é uma amizade virtual, mas isso é só um detalhe) vou te pedir uma ajuda. Estou fazendo um trabalho sobre crônicas/cronistas, mais especificamente sobre vc e gostaria que vc participasse.

Ainda não decidi qual seria a melhor maneira de apresentar o trabalho com a sua participação, mas acho que vc pode ter uma idéia interessante. Não precisa ser uma teleconferência, mas eu queria MUITO que vc desse um jeitinho de participar, que tal?!

Espero que eu não esteja pedindo muito. Se estiver, me desculpe. Obs: Eu prometo que não vou mais ficar "enchendo o saco", OK?!

Um abraço

*

Eu:

menina:

posso lhe propor três tipos de trabalho:

1 - um curso de três aulas (três horas, cada) de prótese dentária. com algumas horas de prática. seus possíveis aspectos no próximo milênio. recentemente estive participando (como aluno, imagina!) de um curso com o professor ben silver numa pequena (mas muito simpática!) cidadezinha perdida no meio do deserto californiano. foi uma aventura e tanto conhecer o meu — por incrível que pareça — xará silver.

2 - como aposentado que sou, venho desenvolvendo algumas técnicas contra o mau hálito que, como você pode imaginar, acomete as pessoas da minha idade. mas pode ficar tranqüila, filha minha, que, na palestra que ministro, o hálito, já com o meu processo de escovas abdominais, dizia, o hálito não atinge nem a primeira fila da platéia.

3 - não sei se você sabe, mas o feto, no início de sua formação, possui a boca e o ânus unidos. afinal, são os dois últimos órgãos do nosso corpo a se formarem, pois não são utilizados na vida intra-uterina. portanto, apesar de raríssimo,

às vezes podem nascer dentes no reto. recentemente, um grego submeteu-se à extração de dois molares aninos (como são chamados na terminologia odontológica). meses depois, sem conseguir viver sem aqueles dentes que o acompanharam durante 47 anos, voltou ao institute proctor, em tebas, e conseguiu que lhe instalassem uma dentadura anina. tenho fotos interessantíssimas. posso projetar, se houver interesse. responda com urgência, para que possamos organizar tudo.

não sei se já lhe contei (claro que não!) mas ando de cadeira de rodas. vocês precisariam conseguir uma para me receber no aeroporto? prefiro pampulha, se isso for possível. sabia que escrevi uns poemas na adolescência? mas eram muito ruins. outro dia (há uns 10 anos) achei todos e rasguei.

um forte abraço do já amigo

*

Ela:

Adorei as suas sugestões e com muito custo escolhi a terceira opção (a dos molares aninos). Acho que as fotos que o Dr. disse que tem (que eu já estou imaginando) vão servir perfeitamente para ilustrar o meu trabalho. Quanto à cadeira de rodas, não se preocupe, a UNI-BH (ex-FAFI-BH) possui instalações para deficientes físicos e conseguir uma para buscá-lo no aeroporto não será difícil. E por falar em aeroporto, que bom que o Dr. escolheu o da Pampulha, é o aeroporto mais próximo da faculdade.

Decidida a forma da apresentação, já podemos marcar a data e o horário (minhas aulas de dentição alternativa são às 19h das quartas e quintas-feiras), peça para a sua secretária agendar e, por favor, me avise o mais rápido possível.

A propósito: já pensou em escrever crônicas? Não sei porque (eu tenho uma certa dificuldade com os porques, se este for separado ou com acento, me perdoe!) mas acho que o Dr. leva jeito.

Um abraço da amiga mineira

*

K

Eu:

senhorita, creio estar havendo um tremendo mal-entendido. a senhorita insiste em me confundir com o distante primo mario alberto (em família, conhecido por bebé). achei sua última cartinha um tanto, diria, acintosa e tomando certas liberdades que não lhe dei. seria o mesmo que eu lhe dizer que karina rima com anina (dos molares, é claro). jamais cometeria uma indiscrição dessas.

sugere que eu, naufragado nos meus poemas adolescentes, escreva crônica. como diria uma geração anterior à minha, está a tirar sarro da minha cara. o que eu venho tentando, menina karina, é uma espécie de livro de memórias. sei que vai ficar fininho, mas fazer o quê?, se a vida nunca me reservou nada além de uma cadeira de rodas e a eterna virgindade.

sim, moça, sou virgem. antes de mamãe morrer, fez-me jurar, à beira do leito de morte, esvaída em sua pneumonia, que assim permaneceria até que encontrasse uma moça mineira (os prata são todos de uberaba) cujo nome começasse com k. na época, lembro-me bem, acho que ela gostaria que a moça fosse a filha do juscelino k. tal moça chegou até mesmo a debutar com uma das minhas irmãs. mas, talvez por ser mais velha, ela não quis se aventurar comigo. e assim permaneço até hoje. cuidado comigo, jovem, sou um velhinho tarado.

assim sendo, peço que, antes de marcarmos o encontro na pampulha, você me mande suas medidas e — sem falta! — foto recente, cic e rg, além de comprovante de residência como conta de luz ou água, dos últimos dois meses, se possível, pagas. outra coisa: já prevendo um futuro brilhante para nossos filhos, devo lhe dizer que a odontologia me deu um apartamento tipo quitinete, mas muito confortável. a ducha do banheiro é maravilhosa. lorenzetti, daquelas antigas. às vezes enferruja, pois não sou de tomar banho todo dia. envelhece, sabia?

quanto a você, gostaria de ter mais informações ainda: idade, que curso faz. olha, não sou escritor, mas gosto muito de ler. estou quase acabando *cem anos de solidão*, que comecei a ler quando foi lançado. acho que em 66. muito bom o rapazinho, o tal de gabriel. muito têm me acalentado — apesar de tudo — suas cartinhas.

um beijinho respeitoso.

*

Ela:

O senhor insiste em me chamar de menina, senhorita. Quem disse que eu sou jovem? O fato de eu estar na faculdade não quer dizer que eu seja uma mocinha. Não sabia que o senhor era preconceituoso. Quanto às minhas medidas e foto recente, me perdoe, mas tenho vergonha de lhe mostrar. Fui muito bonita na juventude, meus cabelos eram longos, loiros (naquela época já existia tinta capilar) e levemente cacheados, um encanto! O meu corpo? Era parecido com o da "Tiazinha". O senhor conhece a "Tiazinha", né?! Se não, corra até a banca de revista mais próxima, deve ter restado algum exemplar da última Playboy. *Mas depois de três casamentos (sou viúva ao cubo, ou seja, os meus três maridos morreram) e seis filhos (dois de cada casamento) não há dieta e ginástica que resolvam. Já fiz algumas plásticas, mas não é a mesma coisa.*

Espero que o senhor não mude de idéia (depois de descobrir que eu não sou tão jovem assim), e marque logo um dia para projetar as interessantíssimas fotos dos molares aninos. Já falei para o meu professor que o senhor vai participar da apresentação.

Obs.: Não sabia que tomar banho envelhece. Deve ser por isso que estou cheia de rugas, eu tomo banho três vezes ao dia. Tomava. Agora só vou enfrentar o chuveiro um dia sim, outro não. Estou confiando no senhor, viu?!

Obs. 2: Continuo achando que o senhor leva jeito para cronista.

Um abraço.

*

K

Eu:

Agora eu sei por que o Mario, meu marido, sempre relutava quando eu dizia que queria aprender computação. Agora está muito claro. Como fui tola! Fiz o curso, escondida. Foram dois meses e agora estou craque.Craque para quê? Para entrar aqui e descobrir tudo. O sem-vergonha deletou a carta que, suponho, mandou para a senhora. Mas a sua, sua vagabunda mineirinha de meia tigela, está aqui, impressa com todas as letras. Claro que ele insiste em chamar a senhora (que deve ter o peito caído e espinhas na bunda) de senhorita. Claro, na idade dele, qualquer senhora de 50 ou 60, é senhorita.

Saiba, querida, que ele é impotente e agora está com a mania de processar a Pfizer pois o tal do Viagra, que funcionou com o mundo todo, com ele encolhe.

Você deve é ter matado os seus maridos. Matado de tristeza de terem de viver com uma rampeira como a senhora, sua vagabunda mineira. E du-vi-de-o-dó que a senhora um dia teve o corpo da Tiazinha. Por falar em Tiazinha, sabia que ela é filha da Leonor, auxiliar de enfermagem, minha amiga há muitos e muitos anos, lá de Avaré? É uma moça muito boa e até já deu para a mãe um televisor com controle remoto e tudo. Tá certo que a Leonor queria de 31 polegadas, pois é quase cega e surda, a coitadinha. Mas se contentou com um de 24 mesmo. E que história é essa de molares caninos? A senhora escreveu errado. Escreveu anino.

E, por falar em banho, vá tomar banho na soda, que é como diziam quando a senhora, sua vagabunda mineira (deve ter votado no desavergonhado do Itamar, aquele que gosta de fazer fusquinha), quando a senhora era jovem. Se é que a senhora já foi jovem um dia. Ou uma noite.

Meu sobrenome de solteira também é Almeida. Mas não sou uma caçadora de homens como a senhora que tem o desplante de escrever isso no próprio endereço eletrônico: caçalmeida. Por favor, esqueça nosso endereço, pois sou muito mulher para colocar um detetive aí na sua cidade, te caçar e... Me aguarde, cara.

*

Eu:

acabo de ver o que a minha mulher lhe mandou. peço vosso perdão. ela é doida.

mande foto, assim mesmo. de agora e de quando era jovem, com o corpinho dessa tal de tiazinha.

atenciosamente

seu, mario (pode dispensar o doutor, cá entre nós)

e pode escrever. não se preocupe com aquela que diz ser minha esposa. mandei pra um spa com minhas últimas reservas.

*

Ela:

Mario (foi o senhor quem pediu para dispensar o doutor),

Estou muito decepcionada com o senhor. Além de preconceituoso, o senhor é mentiroso e enrolado. Mentiu dizendo que era solteiro e pior, virgem. Se não fosse o e-mail que recebi da sua esposa estaria com pena do senhor até hoje.

E está me enrolando há uma semana com a apresentação das fotos dos molares aninos. Estou começando a achar que o senhor inventou essa história e por isso está fugindo da apresentação.

E pare de pedir minha foto, eu já disse que não vou mandar. Lembre-se: eu sou uma senhora de respeito (não é porque tive três maridos que vou deixar de ser uma senhora de respeito) e o nosso assunto é o trabalho de dentição alternativa. Que importância tem, se eu sou jovem ou idosa, bonita ou feia, negra ou branca? Por favor, Mario. Marque logo a data da apresentação. Os meus colegas de faculdade vão ficar boquiabertos se o meu trabalho contar com a participação do renomado dentista que o senhor é.*

**Mais uma vez, a bendita palavra que eu nunca sei se é separada ou com acento. O senhor saberia me explicar? Tenho preguiça de consultar a gramática.*

Um abraço

*

Eu:

a senhora causou a discórdia, a desavença no seio da nossa (ex) sagrada família. meu nome é marivalda (homenagem à avó do meu pai mario) e sou a filha. mamãe pulou ontem do décimo andar ao voltar mais gorda ainda do spa mas, felizmente, não foi feliz no seu tresloucado gesto. caiu em cima de um caminhão de pamonhas de piracicaba. fraturou a tíbia e é bem provável que o papai vá ter que comprar uma cadeira de rodas de gêmeos.

papai, por sua vez, internou-se num bingo da rua augusta onde conseguiu perder suas últimas economias, sempre sonhando em fazer um tal de acumulado.

não vou ficar explicando para a senhora a situação calamitosa em que se encontram meus sete irmãos: marta, magdala, marilda, marcelo, marcela, marinês e maria eunice. a que mais sofreu foi a maria eunice, a caçula nicinha. nem queira saber em que pé está a separação litigiosa dela. está sofrendo muito. deve ser difícil recomeçar a vida depois dos 60 anos. papai, com a invenção do viagra e a tiazinha na *playboy*, emagrece a olhos vistos.

enfim, se me permite baixar ao seu nível, tá foda! portanto, dona karina, saia da nossa vida. enquanto é tempo. depois não venha se arrepender e dizer que eu não avisei.

marivalda prata de carvalho, a valda.

ps. por favor, estou falando sério. a senhora não faz a mínima idéia de onde está se metendo. meu avô paterno, pai do papai, era o manuel de oliveira prata, de alcunha nequinha matador. quando chegava em casa sacudia o colete à prova de bala "para desgrudar os estanho". o sangue dele corre, célere, em nossas veias e véias.

*

Ela:

Tenho recebido "e-mails" (como será o plural de e-mail?) da sua família. Estou impressionada com a falta de privacidade existente em sua casa, aliás quitinete. Uma observação: seus oito filhos e a sua esposa moram com o senhor? Esse quitinete deve ser de Itu. Pensei bastante e cheguei à conclusão de que não vou mais enviar e-mail para o senhor. Até o porteiro do prédio deve ler as mensagens que o senhor recebe. Se a gente não chegar logo a um acordo (a respeito da apresentação das fotos dos molares aninos) acho melhor comunicarmo-nos por cartas, telegramas, telefonemas, enfim, por um meio que não invada a nossa privacidade.

Mudando de assunto, preciso de mais um favor do senhor (espero que desta vez não me enrole tanto). Eu mandei um e-mail para o seu primo-xará Mario Alberto Prata (o Bebé) e além de não salvar uma cópia, perdi o endereço dele. (Por isso conheci o senhor, e achei que estava me correspondendo com o Bebé.) Gostaria que o senhor pedisse pra ele mandar (pra mim, é claro) uma cópia do e-mail que enviei na véspera do aniversário dele (se é que ele ainda não o deletou). O motivo desta solicitação? Queira me desculpar, Mario, mas isso é assunto meu e do Bebé.

Obrigada.

*

Eu:

acho que você já tem o trabalho que queria fazer comigo, né? adorei ter te ajudado. some, não.

beijos.

*

Ela:

Você me surpreendeu. Queria que participasse do meu trabalho e não sabia como, mas vc foi brilhante (não estou puxando saco, não, estou falando sério).

Um grande abraço,

Karina Silva de Almeida, nascida em 12 de maio de 1977 em Belo Horizonte. Atualmente, estudante do sétimo período de Jornalismo da UNI-BH. Leu várias crônicas do Mario Prata publicadas na ISTOÉ, *algumas no* Estadão *e está lendo o livro* 100 Crônicas. *Ainda não leu o* Diário de um Magro *nem* Minhas Vidas Passadas (a limpo) *— na biblioteca da faculdade não tem — mas está ansiosa pra ler.*

K

Não vá me dizer que em São Paulo existem três Mario Alberto Campos de Morais Prata.

KUMONO, funcionário público (São Paulo, 1990)

Foi quando eu trabalhava na Secretaria Estadual da Cultura. Um dia ele me chama:

— Estou precisando da ajuda da Nossa Senhora de Lourdes.

Nossa Senhora de Lourdes era o nome da minha microempresa. Ele estava precisando que eu desse uma nota fiscal no valor mais ou menos de 20 mil dólares, em nome do Baneser. E me explicou o motivo:

— *A gente está querendo tirar a Escola de Belas Artes lá da Pinacoteca. Mas eles não saem. Vamos ter que colocar a polícia para evacuar o local.*

— E onde é que entra a Nossa Senhora de Lourdes?

— *É que a polícia quer uma grana. Por fora, entende?, pra fazer o serviço.*

— Sei. E o que eu coloco na nota? Propina pra PM?

Risos.

— *Melhor colocar "serviços prestados à comunidade artística".*

E assim foi feito. Tudo dentro da lei.

LAURINHA DE MELLO E SOUZA, historiadora (São Paulo, 1990)

A Laurinha se separou do **Carlinhos Vergueiro** e tinha duas filhas. Ela se casou com outro cara que tinha quatro. Sendo que, um deles, o caçula, era já de uma segunda mulher. Foram morar — os oito — juntos.

Um dia, recatada e educada como convém a quem é filha do professor **Antônio Cândido** e da dona Gilda, ela e ele chamaram os seis filhos.

— Seguinte. Nós vamos ter um filho.

No que, aquele quarto filho dele, aquele que era de um terceiro casamento, com cinco anos de idade, perguntou intrigadíssimo:

— Ué, mas pode ter filho morando junto?

LAURO CESAR MUNIZ, escritor (São Paulo, 1981)

O Pirandello, o bar do **Maschio** e do Wladimir era, além de outras milhares de qualidades, uma sacanagem só. Estava começando a era Aids e é como se a minha geração procurasse gente ali para dar a última. Ninguém ia lá impunemente. Numa noite dessas:

Na mesma mesa, eu, o Lauro e uma escritora. Ela estava tão doida que ora beijava eu, ora beijava ele. Na boca. Como ninguém se definia, eu, que estava trabalhando com ele na Globo numa novela e, além do mais, ele era mais velho, cedi a vez. Fui embora.

No outro dia, fui à casa dele para a gente escrever mais um capítulo.

No que ele me entreabre a porta, diz, entre dentes:

— *Eu disse que foi você!*

Não tive tempo de perguntar o que é que tinha sido eu. Mas entrei firme, com cara de quem fez alguma coisa. A namorada dele entrou, me cumprimentou com um olhar que me fez sentir que o que eu tinha feito era meio grave. Fomos para o escritório.

— Que história é essa, porra? Comeu? Ontem.

Ele tirou a blusa e eu vi as marcas dos dentes da escritora-canibal. Aquelas manchas verde-amareladas, onde se po-

L

C **Carlinhos** 1983 músico São Paulo **pág. 50**

A **Antônio** 1980 professor São Paulo **pág. 29**

A **Antônio** 1981 ator São Paulo **pág. 31**

L

dem contar os 32 dentes. Dentada típica, mordida mesmo. Tinha umas quatro no espaço que eu pude vislumbrar.

— Cara, disse eu, puto da vida, você não está querendo dizer que eu que te mordi e chupei.

— *Disse. Mas não disse que era mordida.*

— Meu, mas tá na cara!

— *Eu falei que a gente estava muito bêbado, subindo a Augusta e eu caía toda hora — eu estava pior que você, entende? — e você me pegava na marra, com força para me levantar. Daí as marcas.*

— E ela acreditou?

— *Acreditou. Mas percebeu que foram mordidas. Acha que você é viado.*

— Quer dizer que aqui dentro eu devo agir como viado?

— *Por favor. Me quebra essa.*

Foram mais dois meses de novela e eu lá, todo dia, de bicha. E ela morria de ciúmes de mim.

LEDUSCHA, poeta (Rio, 1973)

Bonita, gostosa, simpática e poeta. E dura.

Um dia, lá no Rio, no Luna do Leblon, me deu uma facada de uns mil dólares. Confesso que emprestei a grana com péssimas intenções, sonho que ela era para toda a minha geração.

Uns seis anos depois, ela lança, no Pirandello em São Paulo, o genial livro *Risco no Disco*, uma pequena obra-prima. Vou. Ela olha pra mim:

— *Não pensa que eu me esqueci daquela grana, não. Continuo dura. Vou te pagar em livros.*

E me deu pacotes de livros.

No dia seguinte, ainda estou dormindo e Marta, minha mulher, me acorda, quase aos berros:

— Quem é essa Leduscha!? Quem é essa Leduscha!?

Pensei: sujou! Tinha esquecido os livros no carro. Comecei a explicar e ela, com um exemplar nas mãos:

— Que poeta! Que poeta!

Voltei a dormir o sono e o sonho dos poetas.

L

LEILA DINIZ, atriz (Rio, 1972)

Quando ela disse, no telefone, que era a Leila Diniz, tremi:

— *Estou indo para a Índia participar de um festival. O Gregório Fanganello me deu a sua peça, o* Cordão Umbilical. *Do caralho. Quero fazer a Kátia Porreta. Eu sou a Kátia, porra! Assim que voltar, te ligo.*

Morreu voltando.

LEILAH ASSUMPÇÃO, escritora (São Paulo, 1971)

Quando cheguei em São Paulo, em 66, fui morar numa casinha lá no Tatuapé, atrás do campo do Corinthians. Com o **Luizinho Prudêncio**, que fazia cursinho para Arquitetura. E eu para Economia.

L **Luizinho**
1966
estudante
São Paulo
pág. 151

Vestibulando e duro. Mulher, nem pensar. Naquele tempo mulher, só pagando.

Como eu resolvia aquele quase priapismo, típico da idade? Comprava a *Manchete* onde, toda semana, saía uma propaganda de meias para serem usadas com minissaia, a coqueluche do momento.

Era um par de pernas que eu nunca tinha visto nada igual na minha vida. Perfeitas, longas, inacabáveis. Antes de acabar, passava por uma liga vermelha (como o corpete) onde estava ajeitada uma desafiante rosa da mesma cor e um revólver já disparado soltando fumacinha. Aquilo resolvia a minha vida. Era tudo o que eu queria enquanto estudava para ser ministro da Fazenda.

Anos, muitos anos depois, já jornalista e escritor, depois de muito tentar, consigo começar a namorar a dramaturga brasileira famosíssima e linda. Ex-manequim do Denner. E, na primeira ida à sua casa, nervoso, sem saber — literalmente — onde pôr as mãos, deparo com o quê? Aquelas pernas, emolduradas na sala. Aquelas, as minhas pernas. E pergunto:

— O que essas pernas estão fazendo aqui?

Ela, enrolando:

— *São minhas, do tempo que eu era maneca.*

L

Está entendendo o que estava acontecendo com aquele masturbador anônimo de 66? Estava ali, diante das pernas. Daquelas. Ali, ao vivo. Fiquei tão nervoso, tão nervoso que não sabia mais o que dizer, o que fazer.

Só tinha uma coisa na cabeça: eu não vou conseguir, eu não vou conseguir. Era demais pra mim.

— Desculpa, mas eu estou impotente!

E saí correndo, morrendo de vergonha. Eu jamais conseguiria colocar um dedo sequer naquelas pernas.

Dias depois, ela me convida para ir até o apê dela. Entro. Ela estava de minissaia, liga vermelha, rosa vermelha e um revólver na mão.

— *Entra que eu resolvo o seu problema de impotência!*

Grande dramaturga, grandes pernas!

Na manhã seguinte, pude ver, lá do quarto, a Leilah entreabrir a porta para receber flores do crítico teatral **Sábato Magaldi**.

Sábato S
1970
escritor
São Paulo
pág. 211

LEIVINHA, jogador de futebol (São Paulo, 1988)

Com 13/14 anos ele já desequilibrava qualquer partida lá em Lins, no Salesiano. E eu era goleiro. Ele abusava de mim, coitado. Com 16, já era titular no Linense, o meu glorioso Elefante da Noroeste.

Depois Portuguesa, Palmeiras, Seleção Brasileira. Titular na Copa de 74, na Alemanha, foi vendido para o Atlético de Madri junto com o Luiz Pereira. Já o **Marinho Perez**, o capitão, iria para o Barcelona junto com o Cruyef.

Marinho M
1991
jogador de
futebol
Lisboa
pág. 165

Leivinha foi rei em Madri. E o rei de verdade, Juan Carlos, era atleticano. Isso significava que toda segunda-feira o jantar era no palácio.

Mas lá se foi, precocemente, o joelho do garoto. Voltou para São Paulo, foi vendendo o que tinha e montou um bar na Henrique Schauman chamado Balancê. Ponto de encontro das domésticas da região.

Numa véspera de Natal ia passando em frente, resolvi entrar para dar um beijo nele. Fez uma festa. Pois já era uma festa. Ele havia chamado todos os meninos de rua da região e estava dando uma verdadeira ceia para a molecada. Parecia filme do Buñuel e me emocionou.

Fez uma caipirinha e filosofou:

— *Pratinha, você fica aí criando esses personagens... Personagem sou eu, Pratinha. Toda segunda-feira jantava com o rei. Hoje estou fazendo caipirinha para empregada doméstica. Escreve isso, cara!*

LEONARDO RAMOS, personagem (São Paulo, 1998)

Esse cara não existe. Repito, esse cara não existe. Ele nasceu assim:

O meu livro *Diário de um Magro*, quando entrou na lista dos mais vendidos, nunca chegava no primeiro lugar. Ia até o segundo, caía, voltava. E lá em primeiro, era sempre livro de vidas passadas. Resolvi ler os brianweiss da vida. Cheguei à conclusão que era tudo mentira.

E resolvi escrever o *Minhas Vidas Passadas (a limpo)*, declaradamente ficção. O problema é que o trabalho de pesquisa da **Angela Marques da Costa** ficou tão bom, recheou tanto as minhas vidas, que acabou parecendo que, realmente, eu estive naqueles lugares.

E tive, então, de criar o Leonardo Ramos, um psiquiatra argentino há 20 anos no Brasil, torcedor do Boca Junior, com consultório na rua Doutor Bacelar. O problema é que os leitores passaram a acreditar não apenas nas minhas vidas mas, sobretudo, no doutor Leonardo. Cartas, e-mails, telefonemas.

Um dia eu estava na piscina do spa São Pedro lá em Sorocaba, chega uma velhinha (e gordinha):

— Foi Deus que mandou o senhor para cá.

Antevi o papo que vinha.

— Telefonei para todos os consultórios da rua Doutor Bacelar atrás do doutor Leonardo. Acho que não atende porque deve estar com a agenda cheia, depois que ficou famoso com o livro do senhor. É que eu estou precisando fazer uma regressãozinha, sabe? Aí marquei, lá em Miami, com o dou-

L

A **Angela**
1999
historiadora
São Paulo
pág. 27

tor Brian, mas é só para abril (era novembro). Eu prometo ao senhor não dar o telefone dele pra ninguém. O senhor me faria esse favor, meu filho?

Vai ser duro, pensei, com pena da velhinha.

— Minha senhora, o doutor Leonardo não existe.

Parece que ela nem ouviu.

— Eu gostei do jeito que ele trabalhou com o senhor. O jeito descontraído dele, sabe?

— Minha senhora, a senhora vai me desculpar, mas é tudo invenção, ficção, mentira.

Você precisava ver a cara da velhinha, coitada. Sentou, ou melhor escorregou para uma cadeira. Ficou me olhando, me analisando.

— Mentira!!! Como é que ele escreveu a orelha do livro, então?

— Fui eu, minha senhora. Tudo inventado, Boca Junior, rua Doutor Bacelar. Tudo.

Era como se ela acabasse de descobrir que Papai Noel não existia. Ficou um tempo em silêncio.

— Olha (acho que fui maldoso), eu acho que nem o doutor Brian Weiss existe.

— É, é? (longa pausa) Sabe o que o senhor é? O senhor é um tremendo dum viado filho da puta!!!

E saiu andando devagarzinho, passos miúdos, repetindo baixinho: viado, viado, viado, filho da puta, filho da puta...

LEONEL PRATA, estudante (São Paulo, 1971)

Ele chegou de Lins e veio morar comigo, lá no Copan. Quarto e sala.

Vinte anos, lindo, charmoso. Além de corintiano. O irmão que todo mundo sempre quis ter.

Não tinha nem três dias que ele estava lá, tive que ir ao Rio para voltar no dia seguinte. Mas voltei na mesma noite.

Abro a porta, sapato dele, sapato da minha namorada, meia dele, meia dela, camiseta dele, camiseta dela. E, assim

L

por diante, a caminho do quarto. Entro. Os dois puxam o lençol. Ele sorri para mim e diz:

— *Ai, neném, ai, neném!*

Que é o que ela dizia quando sentia prazer. Rimos os três. Na verdade, verdade mesmo, ela era namoradinha era do Jorge Ben. Não, não era a Teresa.

Decidimos morar separados. Mas a tríplice sociedade durou um bom tempo, para gáudio de todos.

Até chegar o **Zé Maria**, outro irmão.

J **José Maria** 1965 estudante Lins **pág. 119**

LIMA DUARTE, ator (Cascais, 1991)

Praia do Guincho. Ele havia alugado um apartamento debaixo do meu, em Cascais.

Fomos para a praia com a família do Carlos Eduardo, brasileiro que estava por lá há uns dez anos já. E o **Sérgio D'Antino**, nosso advogado. E agente.

S **Sérgio** 1991 advogado Cascais **pág. 216**

As portuguesas não usam a parte de cima do biquíni. Dar que é bom, elas não dão. Mas os peitos flanam e perambulam maravilhosamente.

A filha do Carlos Eduardo, 15 aninhos, tira a blusa. Nada por baixo. O Lima me olha. Entendi todo o texto. Ele, todo sem jeito. Eu, também. Já estava lá há um ano, mas não existe peito de moça de 15 anos que não bata no queixo da gente.

Aí foi a vez da mãe, a Sarita, uns 40 anos muito dos bem conservados, tirar.

O Lima olhava pra mim, pru céu, pru seio e conversava com o marido e pai dos peitos sobre alfândega. Mas eu via que ele não ouvia nada do que o outro dizia.

O Lima, sofrendo, começou a suar. Me chama pra ir até a água.

— *Deixa eu pôr o pé nessa água fria pra ver se passa. Meu, o peito da mãe é melhor que o da filha, percebeu? Quê qué isso, cara!?*

— Já conhecia. Aqui da praia, é claro. Gosto mais do da filha.

— *Não, o da mãe. Você percebe ali uma certa vivência, labuta. Um peito maduro, eu diria. É melhor a gente ir em-*

bora que eu não tenho mais idade pra isso, não. Ficar só olhando, eu quero dizer.

Sábio foi o D'Antino que não arredou pé da barraca e ainda descolou uma sociedade numa loja chamada Ora Pro Nobis, com a Sarita, dona de todos aqueles peitos.

LOLI, dona de escola (São Paulo, 1981)

A Loli, minha sogra, avó dos meus filhos, era dona do colégio Gávea.

Entra o homem todo engravatado, gomalinado, perfumado, arrogante milionário com motorista e segurança. Fora o charuto.

O filho havia tomado bomba em matemática:

— Veja, minha senhora, sou engenheiro e empresário. Posso lhe garantir que a matemática não me faz nenhuma falta. Quando preciso, chamo um assessor. Pra isso que existem os assessores.

E a Loli, calma:

— *Pois é, meu senhor. Aqui não formamos empresários. Formamos assessores.*

LOLÔ, médico (Rio, 1975)

Tio do meu pai. Mas da idade dele.

Meu pai sempre falava dele. Boêmio, *bon vivant*, intelectual, vivia com artistas. Médico, anestesista. Na época, tinha 64 anos.

Meu pai havia me contado uns comentários que o Lolô havia feito sobre *O Morto que Morreu de Rir* (meu primeiro livro, mimeografado) que eu achei interessantes.

Estava no Rio fazendo a peça *Réveillon*, no Copacabana Palace, e ele era vizinho. Liguei, disse que era o filho do Albertinho. Ficou felicíssimo e mandou que eu passasse naquela tarde mesmo no apartamento dele.

Fui. Sozinho.

Papel de parede cor-de-rosa com florzinhas por toda a sala.

Devo confessar que, no começo, ele segurou, mas, pouco a pouco, percebendo que eu era bem mais aberto que o meu pai, foi se soltando. Ao cair da tarde, o que eu via ali na minha frente era uma bicha velha maravilhosa. Meu tio-avô, viadérrimo.

Na porta do banheiro um pôster com duas mulheres nuas — e lindas — se beijando, batia o martelo. Era.

Conto para o meu pai.

— Você está louco! Pra você, todo mundo é viado! Imagina, o Lolô! Seu tio-avô! Mais respeito, menino! Não existe Prata viado! Nunca existiu e nunca vai existir, está me entendendo?

Fiquei encafifado.

Levei o **Ênio Gonçalves** para conhecer o meu tio. Mas não falei nada. Queria uma segunda opinião, já que se tratava de um eminente médico. E meu tio. Na época, o Ênio era quase um namoradinho do Brasil. Estraçalhava na Tupi, em seu auge.

Eu tenho a impressão que o Lolô só não comeu o galã ali, na hora, em cima da mesa, pela minha presença.

Levo então o meu irmão mais novo, o Leonel:

— Uma senhora!

Meu pai:

— O fato dele gostar de boneca na infância, não quer dizer nada. Sempre foi muito mulherengo.

Passam-se os anos. Meu pai me liga.

— O Lolô voltou para Uberaba. Está muito doente, coitado, de cama.

— O que que ele tem, pai?

— Imagina você que ele fez uma transfusão de sangue em Nova Iorque há uns dez anos e pegou Aids.

Quando fui a Uberaba, fui visitar o tio. Nas últimas, coitado. Como sempre, um papo mais que agradável. Volto:

— Pai, sabe como se chama o enfermeiro do Lolô?

— Sei. Jasmim. E daí? E daí?

L

E **Ênio**
1974
ator
São Paulo
pág. 82

L

LUCÉLIA SANTOS, atriz (Rio, 1975)

Era uma revelação no teatro, aquela menina. Tinha uns 18 anos e, além do palco, de dia, era recepcionista de uma clínica de emagrecimento, em Botafogo.

Dura, morava na casa da Betina Vianny.

Indiquei ao Boni, da Globo, para fazer a personagem Glorinha, na minha novela *Estúpido Cupido.*

Levei ela lá. O Boni pediu para o Avancini fazer um teste com ela. O Avancini reprovou a Lucélia. Disse que era gorda e vesga.

Um ano depois o Boni chamou a Lucélia para fazer *A Escrava Isaura.* Deu no que deu.

LUCIANA DE FRANCESCO, fotógrafa (São Paulo, 1985)

— *Fica pelado e senta aqui.*

Tirei toda a roupa e me sentei no bidê. Ela me olhando.

Mas não era para fazer sexo que eu estava ali, naquele estado, diante da Luciana, minha mulher. Olhei meio temeroso para aquela tesoura.

E ela começou a cortar o meu cabelo que, de fato, tava meio grande.

— *Sempre cortei dos meus irmãos. Fica frio, meu!*

Fechei os olhos e sentia as melenas caindo nos meus ombros e escorrendo frias, corpo afora, para o chão.

De repente ela parou, recuou dois passos, olhou bem para a minha cabeça e começou a chorar. Chorar forte.

Levantei um pouco e olhei no espelho. É meio difícil explicar o que eu vi, ali, refletido. E ela, chorando:

— *Eu não vou conseguir fazer a mesma coisa do lado direito, não vou, eu sei. Não vou!*

Acendi um cigarro, preparei um uísque e cocei a cabeça. Me vesti, coloquei um boné do meu filho na cabeça.

Ela, toda molhada de lágrimas:

— *Fica frio, meu. Fica frio, meu. Vamos lá no tio João.*

Tio João era tio dela. Barbeiro, na avenida São João.

L

Entramos. Tio João parou o corte que fazia, com a tesoura no ar, olhou para ela, olhou para mim. Olhou mais detidamente para a minha cabeça. Passou a mão na cabeça dela e disse:

— Outro, Lucianinha?

LUCIANA CASTRO CUNHA, bailarina (São Paulo, 1996)

Deviam ser umas dez da manhã de um dia de verão, verão.

Eu estava de cuecas, sentado na sala, lendo o jornal. Quem vinha lá dos quartos, podia perfeitamente ir até o telefone — que estava na minha frente — sem me ver. Foi o que fez uma menina de 18 anos, só de calcinhas, que saiu do quarto do **Antonio**, meu filho. Passou por mim, não me viu, debruçou-se ao telefone, ficando de costas para mim e discou:

— Mãe, dormi aqui no Antonio. Um beijo.

Depois de deixar o recado na eletrônica da mãe Luciana, virou-se com seu esplendoroso corpo e me viu. Me viu vendo ela. Ao contrário de mim, que tentava segurar o coração e desviar os olhos para algum lugar do teto que não fosse o peito dela, esticou a mão.

— Oi, sou a Analice. Você é o pai do Antonio, né?

Ela sorriu e voltou para o quarto, como se nada tivesse acontecido.

Três dias depois, não mais que isso, estou no Bar Balcão e uma bailarina loira veio falar comigo:

— *Oi, eu sou mãe da Analice.*

No dia seguinte a Analice ouviu na secretária eletrônica:

— *Analice, não me espere pra dormir.*

A **Antonio**
1984
estudante
São Paulo
pág. 32

LUCILA VOLASCO, médica (São Paulo, 1999)

"Fazia frio. Ventava. No meio das árvores, uma lua mostrava o caminho. O porvir estava começando."

É assim que a jovem doutora Lucila Volasco, 33, médica anestesista, acha que deve começar um romance. Disse isso quando leu *Minhas Vidas Passadas (a limpo).*

L

— *Romance!? Isso?*

Com esse aqui então, ela vai pirar.

Logo, este livro é um romance, porque começa com fazia frio.

Escrito (enquanto romance) sem querer, contando histórias que aconteceram comigo, meus amigos, meus parentes, meus egos.

A Lucila, por exemplo, que, neste momento, está aqui ao meu lado, achou muita graça no "meus egos". Eu também acho eles engraçados.

— *Metido...* diz a Lucila. *Só olha pru próprio umbigo.*

— Juro, Lucila, que olhei para o umbigo de todas elas e eles. Nem sempre com o mesmo interesse. Sabe como chamava a minha primeira peça? *Cordão Umbilical.*

Mas eu ia dizendo que, se você ler — por exemplo — este livro na ordem cronológica, vai ver que tem ali uma história. Um romance mesmo.

Tudo começou quando eu estava olhando para a minha lista de telefones aqui na tela do computador e percebi que eu tinha uma história qualquer com cada um daqueles números, daquelas mulheres e daqueles homens.

Tava tudo ali, na minha lista: história das minhas casas, das minhas cidades, de um único Brasil, das minhas famílias, meus filhos, minhas namoradas, meus psiquiatras. Infância, adolescência, maturidade e envelhescência do Brasil. Cabeça, tronco e membros!

Quer saber? Leia do jeito que você quiser.

E se você — minha mulher — ou você — meu homem — não estiver aqui, não se amofine. Vai ter mais.

Tudo isso aí em cima pra dizer que eu não tenho a menor idéia do que seja esse livro. Tenho um amigo que diz que quando fica em pé é livro. Ficou? Então é um livro.

— E como é que você acha que deve acabar um romance, Lucila?

— *E viveram felizes para sempre...*

LUIZ CARLOS CABRAL, jornalista (São Paulo, 1979)

Estava difícil para a Beth me explicar, pelo telefone.

— O Cabral morreu, o Cabral morreu!

Só tive tempo de dizer para a Marta, minha mulher, que ele tinha morrido, pegar a minha Brasília azul e ir a mil por hora para a casa deles. O Leco, irmão da Marta, foi comigo.

Conversando, no caminho, com o Leco. Foi o álcool. Tava bebendo demais. Eu falava, não me ouvia, olha aí, morto. Que merda, trinta e poucos anos!

Largo o carro no meio da rua e entramos correndo pela porta aberta. O Cabral não deve estar morto, pensei, pois estava em pé, na minha frente, me olhando assustado, olhos tristes.

A Beth, grávida, chorava. Olho no sofá, um velho morto. Era o pai do Cabral que tinha morrido. Foi visitar o filho, morreu no meio do papo. A Beth, nervosa, havia gaguejado demais no telefone. Eu não tinha entendido direito.

Estava ali, estendido, o Velho. Foi assim que o Cabral falou no telefone com a mãe.

— *Tá sentada? O Velho morreu.*

Não conhecia o velho George Cabral. Mas de fama, sim. Velho jornalista e militante do Partido. Durante anos morou na Tchecoslováquia, como correspondente. O Cabral fala, até hoje, tcheco.

Quem carregou o corpo do Velho foi o Leco que tinha ido em casa só pra tomar uma cachacinha. Carregamos o corpo do pai dele para o hospital mais próximo. E para conseguir um atestado de óbito de madrugada? O jovem médico plantonista dizia:

— Não posso dar um atestado, pois ele já chegou morto.

— *É meu pai. A gente tava conversando em casa, de repente!*

— Não posso. Digamos que tenha sido um crime.

O Leco teve que segurar o Cabral pra não virar pancadaria.

Dois meses depois, a Beth me liga, outra vez de madrugada. Estourou a bolsa. Peguei a Brasília e lá fomos para a maternidade. Nasceu o Jorge. Homenagem ao Velho.

L

E o Cabral continua sem saber guiar. Carro. Porque o resto, ele sempre guiou muito bem.

LUIZ CARLOS PARANÁ, compositor (São Paulo, 1971)

E dono de bar.

Dono do melhor bar de música brasileira da época, o Jogral. Marcou época. Já não bebia quando morreu, pois bebido já tinha e muito.

Morreu de noite, o meu amigo. E não era quarta-feira de cinzas, como cantava o Roberto Carlos na música dele.

E todo mundo que chegava no Jogral, dava com o aviso na porta. O Paraná morreu, o velório é no Hospital Oswaldo Cruz.

E aquele bando de boêmios ia pra lá. O Carlinhos na porta, como se no Jogral estivesse, organizava: tá cheio, não tem mesa, só de pé, cada três que sair, entra três. Para os mais íntimos, ele abria.

José Luiz J
1971
adminis-
trador
São Paulo
pág. 116

Lá dentro, a turma toda. Entrei com o **Zé Luiz Franchini Ribeiro**, deixando os barrados pra fora. Foi quando eu tive um acesso de riso na cara do Paraná, estendido lá dentro do caixão.

É que eu estava ali, compenetrado, lembrando de tantas histórias vividas juntos. Principalmente uma. Ele adorava o meu primeiro livro — mimeografado, como convém — *O Morto que Morreu de Rir* e me pediu 50 exemplares para dar para os amigos. Em troca, eu tinha direito a 50 doses de Old Eight. Claro que eu tomei muito mais que isso. Ele também escreveu uma frase minha na tampa da privada do Jogral:

— O futuro do Brasil está em suas mãos.

Pois eu estava ali, triste. Coloco um cigarro na boca. E não é que um dos garçons, o Joãozinho, todo triste, enfia o braço com um isqueiro e acende?

Ri, é claro.

Depois pintou — sabe-se lá de onde — cachaça e uísque e aquilo virou um boteco. Como o Jogral, como ele gostava.

LUIZINHO PRUDÊNCIO, estudante (São Paulo, 1966)

Ele era conhecido lá em Lins como Negativo. Não por ser mulato, mas porque era mesmo pessimista. Um amor, mas pessimista.

A gente morava lá perto do campo do Corinthians. Ao lado do Walmir Marques, do Cabeção, do Roberto Belangero. Fora o clube, a Fazendinha.

Mulher, nem pensar. A gente era muito duro, com 20 anos. Nós dois dividíamos — juro! — PF (prato feito). Só que ficamos amigos do cozinheiro do boteco da Celso Garcia, o Manolo, que botava um bife fininho debaixo de outro bife igualmente fininho.

Eu tava dizendo que mulher, nem pensar. Não fossem as pernas da **Leilah** na parede, eu gozava dormindo. Um dia o Luizinho, chega todo afobado:

— *Lembra do meu primo, o Riquinho? Vai trazer uma mulher aqui hoje de noite e vai dar prus três.*

— Não acredito! Prus três?

— *Falando, cara! E tem mais: na faixa.*

— Mas você conhece, é legal?

— *Casada. Com um PM.*

— Tou fora.

Naquela época, cara, comer mulher de PM era cometer suicídio político. Mas logo, eu mesmo me convenci que, num estado de segurança total, não haveria problema.

— *E tem mais,* adiantou o Luizinho. *Cobradora do Penha-Lapa.*

Verdade. E nem era de se jogar fora. Ela chegou, só tinha um sofá branco e furado, herança da casa dos meus pais. Eu, o Luizinho e o primo, ali, sentados. Tensos, morrendo de tesão.

Mandamos ela subir, tirar a roupa e aguardar.

E começamos uma cacheta rápida para ver quem ia ser o primeiro. E o último, é claro.

Sempre joguei cacheta muito bem.

Pela primeira vez, achava que estava dominando a cidade. Da Penha à Lapa. Meu sonho agora seria ter meu nome na lista telefônica. Aí, era definitivo.

L **Leilah**
1971
escritora
São Paulo
pág. 139

L

LULI, designer (São Paulo, 1999)

Prata,

Tou adorando o livro.

Ontem à noite mesmo, depois de recebê-lo, dei boas risadas, hoje idem. Não li de uma sentada pq não imprimi e não consigo ler muito tempo seguido no computador.

Mas agora há pouco percebi que, em vez de gravá-lo no Word, deveria colocá-lo na pasta de jogos, junto com a paciência, o MsHearts e o pinball. Sem brincadeira, Prata, desde que eu sentei aqui hoje de manhã, a cada intervalo para imprimir alguma coisa, esperar a Internet abrir etc, não abri um único jogo.

No lugar das damas e dos valetes de copas e de espadas do MsHearts, leio um verbete sobre alguma das suas damas e valetes. Que tal vendê-lo em disquete, como passatempo de computador?

Luli

LULU GÓES, estudante (Curitiba, 1970)

Ele tinha o quê?, cinco, seis anos.

Sempre foi muito magrinho, esse meu cunhado. Uma época deu para falar tudo no diminutivo. O pai começou a achar que, daquele jeito, o filho ia virar bicha. Baixou uma ordem:

— Você está proibido — proibido, está me entendendo? — proibido de falar no diminutivo. Proibido!

— Sim, senhor.

Na mesma noite, o seu Joaquim foi levar a escrivaninha que estava no conserto. O Lulu foi abrir a porta. Voltou, a família toda reunida:

— Pai, o seu Joaca veio trazer a escrivana.

LULUZINHA (Maria Lúcia Segall), miss Brasil (Lins, 1960)

Minha primeira namorada, meu primeiro sutiã. Só vi.

MADALENA PRATA SOARES, estudante (São Paulo, 1971)

Minha prima-irmã, irmã do **Ricardo**, procurada pela polícia e pelos militares de quase todos os estados do Brasil.

Já haviam matado o marido dela, o Zé Carlos da Matta Machado, numa emboscada armada pelo delegado Fleury, com a conivência de outro primo meu, irmão dela, o Gilberto. A cara dela estava naqueles cartazes de procura-se.

Ninguém sabia onde a Madalena andava. Acho que nem ela. Muito menos nós, da família.

Estou um dia no elevador do Copan, quando ele pára num andar antes do térreo e entra, bela e fagueira, com um bebê no colo, a Madá. Elevador cheio. Num impulso entre o feliz e o surpreso, disse:

— Madá!

E ela, sem se abalar:

— *Desculpa, deve haver algum engano, moço. Meu nome é Joana. Com licença.*

A porta do elevador se abriu e ela sumiu na Ipiranga.

Dias depois, o jornal informava a prisão da Madalena, Madá, Joana ou seja lá quem ela era. E do bebê. Que foi torturado na frente dela e a sobrinha, Maria, também.

M

R **Ricardo**
1969
estudante
São Paulo
pág. 200

MAIARA MAGRI, atriz (Rio, 1987)

Eu estava adaptando *Helena*, do Machado de Assis, junto com o **Reinaldo Moraes** e o **Dagomir Marquesi** para a Manchete. E tinha a personagem da namorada do Estácio que eu gostava tanto dela que nem me lembro mais o nome. A Maiara foi escalada para o papel. Levei um papo com ela:

— Olha, eu não sei muito bem ainda o que fazer com a personagem. Aliás, a culpa é do Machado que me passou a personagem torta (que presunção, meu Deus!). Mas fica tranqüila, que, com o tempo, a coisa pinta.

Mas não pintava. A personagem ia capengando apesar dos esforços da Maiara, do Luiz Fernando Carvalho e da Denise, os diretores. Lá pelo meio da novela, já que ninguém assistia mesmo, eu, o Reinaldo Moraes e o Dagomir resolvemos brincar. A novela se passava em 1859.

R **Reinaldo**
1994
escritor
São Paulo
pág. 196

D **Dagomir**
1983
jornalista
São Paulo
pág. 64

Câmera no rosto da Maiara. Ao fundo, uma interminável discussão entre os pais dela, em *off.* O sempre amigo Othon Bastos e a Isabel Ribeiro. E ela falando:

— *A barra tá pesada, a barra tá pesadíssima!*

Depois a câmera abria e mostrava que ela estava se referindo àquele ferro que fazia as barras dos vestidos.

Noutra cena, o Ivan de Albuquerque (padre) e o Zé Fernandes (coroinha) conversavam sobre a desmiolada Yara Amaral.

Zé — Lá na minha terra, no Recife, eles dizem que a lucidez é uma pira eternamente acesa. E quando a pessoa começa a endoidar, dizem que é porque a pira está apagando.

Ivan — Você acha então que a dona Dorzinha tá pirando?

Zé — Tá completamente pirada, padre.

Ivan — Então vamos rezar para Deus que ainda não pirou.

(Até hoje eu não sei se esse diálogo foi meu, do Reinaldo ou do Dagô.)

Mas o problema era com a namorada do Estácio. Como a gente não sabia o que fazer com ela, inventamos uma viagem para os Estados Unidos (em 1859) durante uns 20 capítulos pra ver se achávamos uma saída.

Com isso, resolveríamos também um outro problema da novela. O mal, para o autor de novela de época é não ter telefone. O telefone resolve tudo numa novela. A gente resolveu colocar telefone na novela para facilitar o diálogo entre os personagens que viviam em fazendas distantes.

O departamemto de pesquisa da Manchete nos informou que Alexander Graham Bell só patentearia o invento 17 anos depois, em 1876, nos Estados Unidos.

Isso não era problema para nós. Que o Machado nos perdoe, mas criamos um personagem — primo da Maiara — que morava na mesma fazenda e era dado a inventos. Estava ele tentando e conseguiu inventar o telefone. Dezessete anos, portanto, antes do Graham Bell.

E eis que volta dos Estados Unidos a nossa heroína, toda americanizada, com botas com estrelas brancas em fundo azul, chapéu de caubói e tudo o que tinha direito. E trouxe um namoradinho.

O namoradinho se chamava Alex Bell.

Roubou o invento do primo, deu um pé na bunda dela, voltou para os Estados Unidos, patenteou, ficou rico e famoso.

MAÍDA, arquiteta (São Paulo, 1986)

Com cinco meses de gravidez, a confirmação fatal. Aquele maldito tumor na cabeça era maligno, assustadoramente maligno.

Em dez dias ela estava em coma, na UTI. Irreversível. Os médicos cuidando do feto, como podiam. Estava ótima, a futura Maidinha.

Um dia — e a medicina não soube explicar —, ela saiu do coma, sentou-se na cama e disse:

— Vou ter a minha filha agora.

E teve. Olhou para a filha, deu o peito, o bebê mamou e foi logo levado para uma encubadeira. Não tinha ainda seis meses.

Ela deitou-se, sorriu, entrou em coma novamente.

No dia seguinte, enquanto a Marjorie Gueller colocava uma flor no caixão que descia, com todos os amigos ali, estupefatos, chegava a notícia de São Paulo.

A Maidinha ia sobreviver.

MAITÊ PROENÇA, atriz (São Paulo, anos 80)

Cena 01:

Quando eu vi, pela primeira vez, ela tinha 18 anos.

Eu dava, com outros roteiristas de cinema, um curso no MIS, em São Paulo. Ela se sentava sempre no mesmo lugar, na terceira fila, com uma tiara na testa.

Um dia perguntei ao Bodanski:

— Você já viu uma garota que fica sempre na terceira fila?

— A da tiara? Só venho dar aula por causa dela.

Casado, mulher grávida, pouco soube, num almoço macrobiótico:

M

- a história da mãe e do pai;

- estava voltando da Índia, onde passou uns anos, meditando;

- antes de retornar para Campinas, fez um curso em Paris com o Marcel Marceau, de mímica;

- dava aula de inglês no Cel-Lep;

- fabricava caleidoscópio que vendia na feira hippie da República;

- morava no quintal de uma casa, no quarto de empregada;

- fazia curso de teatro com o Antunes;

- não raspava nem as pernas, nem debaixo do braço. Os pêlos eram loiríssimos;

- não era casada e nem estava grávida;

- o sobrenome dela era Galo.

Cena 02:

José de Anchieta J
1981
artista
plástico
São Paulo
pág. 115

Um ano depois, eu, o **José de Anchieta** e o Avancini escalávamos o elenco da que viria a ser a última novela da Tupi, *Dinheiro Vivo*. Tinha uma personagem, a Joaninha, moça do interior, vidrada no Roberto Carlos. Eu descrevia o tipo físico e os dois diziam que aquilo não existia. Foi quando eu percebi que estava descrevendo a Maitê.

Depois de passar uma madrugada inteira num barzinho da Henrique Schawman para convencer a menina, vamos para a Tupi, lá no Sumaré, fazer um teste. Deu no que deu.

Aí o Avancini saiu dizendo que ele que tinha descoberto a moça.

Com um mês da novela no ar, ela já era capa da *Amiga*.

Sérgio S
1991
advogado
Cascais
pág. 216

A Globo chama a Maitê, ela me liga. Indico o **Sérgio D'Antino** para fazer as negociações. Ela passa de 1.500 na Tupi para 15.000 na Globo.

Cena 03:

O quartinho de empregada tinha a parede toda áspera. Ela ficava sempre arranhada. Um dia ela cansou da ponte-aérea, pegou os caleidoscópios e foi embora, arranhar-se noutra freguesia.

A Globo deu um trato, raspou as pernas e o sovaco. Ela já não era mais a minha Joaninha.

Cena 04:

Me liga do Rio. A *Playboy* queria que ela posasse nua. Vinte mil dólares.

— Nem morta!, eu disse. Espera mais um tempo, que você vai ganhar muito mais.

— *Você é um amor. Te adoro. Olha, quando eu posar, te dou vinte por cento.*

Dizem que ganhou, quando fez as fotos, 400 mil. É.

Cena 05:

Estou na sala de espera do seu **Adolfo Bloch** na Manchete, ela entra, me vê e pergunta:

— *Posso chorar no seu colo?*

— Chora, Joaninha, chora.

Deitou no sofá, colocou a cabeça no meu colo e chorou pra valer ali no sofá. Não perguntei nada. Alisava o cabelo dela. Ela choramingava:

— *Meu Deus, ontem a baixaria foi demais. Que vergonha...*

— Chora, chora, vai chorando aí.

Seu Adolfo entra na sala e sotaqueia:

— O que você fez com a minha Beja?

— Fiz nada, seu Adolfo. Fui dar uma aula no MIS e deu nisso.

Seu Adolfo não entendeu nada.

MANUELA, ANGÉLICA e CAROLINA, estudantes (São Paulo, 1998)

Um dia recebo um e-mail da Manuela. Leitora. Uma semana depois, faria 15 anos. Diz adorar as besteiras que eu escrevo e me sugere algumas (boas) crônicas.

Depois, ela conheceu a Angélica e a Carol (16 e 17 anos) e descobriram a afinidade. As três eram ligadíssimas no que eu escrevia.

Se juntaram e fizeram uma home-page minha. Mais histórias das três você encontra em **http://www.geocities.com/Paris/Cafe/2663**. Lá, você encontra a biografia das três e como elas me conheceram. Vale a pena. São uns amores.

E estão crescendo, como diz o **Mateus Shirts**.

M

A **Adolfo**
1987
dono de televisão
Rio
pág. 21

M **Mateus**
1985
brasilianista
São Paulo
pág. 170

M

MARCOS REY, escritor (São Paulo, 1999)

Eu estava escrevendo este verbete quando a Palma — sua mulher — me ligou:

— O Marcos vai morrer hoje. Ou amanhã (chorava). Como eu não gosto de dar telefonemas de morte, estou avisando antes. Hoje, no máximo amanhã, você vai ficar sabendo (e chorava).

E ele morreu, hoje. Não sei o que dizer desse cronista delicioso que, na verdade, se chamava Edmundo Donato e vivia me dizendo:

— Pratinha, você é o segundo melhor cronista do Brasil.

E eu concordava. Com o primeiro lugar dele.

Escreveu de tudo, o Marcos.

Uma vez, anos 70, estava duro, precisando urgentemente de dez mil dólares. Na época, o cinema brasileiro vivia de pornochanchadas. O Marcos ligou para um produtor da Boca do Lixo e foi logo informando:

— Tou com uma idéia magistral! Magistral! Dez mil dólares. Cinco agora e o resto quando eu entregar a sinopse.

— Qual é a idéia, Marcos?

— Venham imediatamente pra cá. Não dá para contar pelo telefone.

Só que o Marcos não tinha nenhuma idéia. Tava era querendo pagar as contas dele.

Tinha meia hora para ter uma idéia genial. Não teve. Os homens chegaram. Acho que era o Galante, o produtor.

Sentaram-se todos na sala, uisquinho, papo furado, até que o Galante perguntou:

— E aí? Conta.

— Deixa eu ir ao banheiro, primeiro.

Trancafiou-se, aflito, no lavabo do apartamento da rua Pompéia. Sentou na privada e viu. Viu, na sua frente, um pequeno quadro com uns cangaceiros. Bateu a idéia. Deu descarga e voltou.

— O filme se chama As Cangaceiras Eróticas*! É um bando de cangaceiras gostosas que saem pelo sertão saqueando e comendo todos os homens.*

O Galante fez o cheque na hora.

O filme foi um magistral sucesso, lembra?

MARCOS VASCONCELLOS, arquiteto (Rio, 1985)

Estávamos no Antônio's o **Ziraldo**, ele, o **Reinaldo Moraes**, o **Dagomir Marquesi** e eu. Dois paulistas, dois mineiros e ele, carioca.

Aquele velho e chato papo de bairrismo. Aí ele, explicando como era o carioca:

— *Hoje eu fui levar uma planta na prefeitura para o habite-se e perguntei para a funcionária quando é que saía. Ela, com toda a calma do mundo, olhou no relógio e disse: bom, segunda-feira, quatro e meia da tarde, essa semana tá praticamente perdida.*

MARIA AMÉLIA CESÁRIO ALVIM BUARQUE DE HOLLANDA, do lar da Buri (São Paulo, 1972)

Foi na festa de 70 anos do marido, o professor Sérgio, que ela me achou na cozinha, atrás de gelo. Sempre me chamou de Mario Prata.

— *Mario Prata, eu tenho percebido que o* ***Chico*** *tem andado muito com você e então eu queria te pedir um favor. Uma ajuda.*

Fiquei curiosíssimo em que ajuda poderia ser essa. Na época, o Chico estava no auge da carreira e eu me orgulhava daquele papo com a mãe dele na cozinha.

— Pois não, dona Maria Amélia.

Ela balançou o copinho de cachaça e me falou, séria:

— *Fala pra ele terminar a faculdade de Arquitetura, fala. Ele era tão bom aluno de hidráulica.*

Dois anos antes, o Chico havia feito "Apesar de Você" que tinha passado pela Censura, até que um gênio da *Folha* insinuou que a música tinha sido feita para o Médici. Foi proibida.

As rádios não podiam mais tocar, o Chico não podia mais cantar em show. Mas o público cantava.

M

Z **Ziraldo** 1987 artista plástico Rio **pág. 244**

R **Reinaldo** 1994 escritor São Paulo **pág. 196**

D **Dagomir** 1983 jornalista São Paulo **pág. 64**

C **Chico** 1998 compositor Paris **pág. 55**

Aí, os militares proibiram o público de cantar. O Chico não podia nem solar no violão.

E, num show, o público começa a pedir, a implorar. O Chico nada. Fazia que não era com ele.

Foi quando a dona Maria Amélia se levantou no meio da platéia:

— *Meu filho, seja homem! Canta!*

No dia seguinte ele estava na polícia dando explicações, apesar de você:

O militar:

— Quem é o VOCÊ?

— É uma mulher mandona, muito autoritária!

Agora, outro dia, depois de anos, encontro com a dona Maria Amélia. Queria falar deste livro e pedir a sua autorização para este verbete.

— Dona Maria Amélia, estou escrevendo um livro que se chama *Minhas Mulheres e Meus Homens* e...

— *Eu sei. É sobre seus filhos e suas filhas.*

— Não, dona Maria Amélia, é...

Ela riu da minha cara:

— *É uma caçoada, Mario Prata...*

Eu tinha me esquecido do pique dela.

MARIA EMÍLIA BENDER, editora (São Paulo, 1990)

A Maria Emília Bender foi buscar lá na Itália um músico romano, numa viagem de férias. O Lorenzo. O cara veio pra cá, casaram e tiveram o Antônio.

O Lorenzo é distraído. Mas muito distraído.

Um dia foi levar o filho num bufê de aniversário, depois iria ao cinema com a Maria Emília e, na saída, pegaria o filho, ali pelas oito e meia.

Deixou o Antônio no bufê, foi para o cinema, voltou com a Maria Emília, pegou o filho.

— *Tava boa a festa, filho?*

— Tava ótima, mãe. Só que o aniversário não era da Andréa, não era o pessoal da minha classe e nem era aquele o bufê.

MARIA HELENA AMARAL, jornalista (São Paulo, 1973)

Como era mesmo o nome daquele hotel muquifa onde a gente fugia da redação da *Última Hora* do **Samuel Wainer** para tomar um cafezinho e transava?

MARIA LYDIA PIRES DE ALBUQUERQUE, tudo (São Paulo, 1982)

Descasei da Marta e mudei. Aluguei um apartamento na Alagoas. Só tinha o básico: cama, chuveiro e tampa de privada. Um dia, a Maria Lydia foi lá e ficou horrorizada.

— *Posso trazer umas coisas da boate pra cá?*

Ela era dona do Happy Days que tinha acabado de fechar. Chegou de manhã para pegar a chave e eu fui para a *Careta*, trabalhar com o **Tarso de Castro.**

Quando eu cheguei, de noite, depois de tomar umas com o chefe, peguei a chave na portaria e abri a porta. O incrível é que a chave abriu a porta e não era o meu apartamento. Voltei lá e falei com o porteiro. Garantiu: a chave do 23 é essa mesma.

Era mesmo o meu. Ou melhor, uma sucursal do Happy Days, numa incrível rapidez. Mesinhas, geladeira, fogão, panelas, som, almofadas, luzes indiretas, abajures, sofás, quadros, espelhos, bandejas, copos, pratos, talheres, samambaias e, acredite se quiser, uma rede armada na sala. Televisão também.

Até hoje ainda tenho a amizade dela, as três mesinhas verdes, uma bandeja e uma lâmpada para se fazer amor no escurinho de uma boate.

MARIA MILLAN, criança (São Paulo, 1983)

A Tana, mãe dela, tinha que ir lá na Vinte e Cinco de Março comprar uns tecidos para a loja. O esquema para deixar a Maria com alguém, furou. E lá foi a Tana, com a filha de quatro anos. De metrô.

Quando chegaram lá, aquilo lotado, gente correndo de um lado pru outro, gente suja, mendigo, sujeira, correria. Ela perguntou para a mãe:

— *Mãe, aqui que é a puta que o pariu?!*

M

S **Samuel**
1980
jornalista
São Paulo
pág. 212

T **Tarso**
1980
jornalista
Rio
pág. 226

M

Antonio A
1984
estudante
São Paulo
pág. 32

MARIA PRATA, estudante (São Paulo, 1990)

Ela estava com 11 anos. Eu queria ir para a praia no fim de semana com ela e o **Antonio**. Mas ela tinha que fazer uma redação para a escola.

Tive que insistir muito. Prometi que eu mesmo faria a redação no computador e que depois ela copiava com a letra dela. Até confessei que a minha mãe já tinha feito isso para mim.

Fomos, ela meio contrariada, metida a boa aluna, honesta. Lá na praia me deu o tema e eu mandei ver.

Uma semana depois ela me liga, esbravejando:

— Pai, você tirou seis e meio!!!

MARIA REGINA, atriz (São Paulo, 1969)

Ela fazia a Grávida no *Hair*.

Teve um *happening* na casa em que ela morava com o José Vicente e o Antônio Bivar.

Tinha de tudo. Era tempo de ácido.

Eu havia operado da fimose há 15 dias. Ainda tinha uns pontos. O que eu sei é que acordei no dia seguinte na cama dela, todo ensangüentado, ainda viajando, com a coisa latejando. Parecia uma rosa vermelha mordida por um buldogue.

Aflito, ligo para o meu pai que era médico, lá em Lins. Explico a situação do pau. Doía muito. Me manda ir num colega dele, oftalmologista.

Quando eu tirei o pau na cara do doutor Fábio e vi direito, ainda com ácido na cabeça, a única coisa que consegui dizer foi:

— Olha que lindo, doutor!

O oculista — que morreu há pouco tempo sem entender nada — deu um trato, enfaixou, e eu saí carregando aquela múmia.

Mas a Maria Regina me ligou no Banco. Queria mais. Eu mostrava a múmia e ela dizia que era mentira minha. Tive que fugir dela.

Ela largou o *Hair* — não por causa da múmia — e foi morar em Nova Iorque. Vinte anos depois, encontro com ela na casa do **Reinaldo Moraes**.

Conto para ela, relembro. Ela não se lembrava de absolutamente nada. Nem de mim, muito menos da múmia.

No fim da noite, todo mundo já meio bêbado e louco, me diz:

— *Mostra.*

M
R **Reinaldo**
1994
escritor
São Paulo
pág. 196

MARIEL BRAVO, atriz (Montevidéu, 1983)

A gente se conheceu num festival de teatro em Montevidéu. Paixão seguida de cartas andinas e apaixonadas. Eu brincava, chamando ela de Mariel Mariscote.

Um dia, ela me manda uma carta — pelo correio! — cheia de maconha e subscrito: Mariel Mariscote. Mariel, ligado a jogos e drogas, tinha acabado de ser assassinado.

Se eu não fosse uma pessoa bem relacionada, tava preso até hoje.

Em tempo: quanto ao fumo chileno, recomendo.

MARÍLIA GABRIELA, jornalista (Matão, 1974)

Oi, Pratinha.

Sexta-feira, quase 11 da noite. A Sagrada Família está na boca de um puto qualquer, candidato a autor de qualquer puta sacanagem pública, numa longa fala pela televisão. Eu te escrevo. A casa nova é muito legal. Ainda falta, é verdade, aquela curva no canto esquerdo pra me pegar pelo amor. Ainda não a amo, mas estou fazendo o possível pra gostar dela cada vez mais.

Minha cuca vai assim, assim. Crises meningocócicas às vezes, mas tenho conseguido levantar todos os dias. Se a sua boa vontade com a televisão lhe permitir ir além do Hoje*, você já deve ter me visto trampando como louca no* Jornal Nacional *e em incursões até no* Fantástico*! E não há "crisis" que agüente tanto trabalho.*

M

Pra cada vaca sua, um carro aqui. Pra cada verde, uma linda e elaborada fumacinha. Pra cada pensamento seu, uma fuga escandalosa num imenso e colorido copo de bebida. Pra cada longa noite de sono em Matão, uma louca noite transdormida por aqui (com a quase certa ressaca moral do dia seguinte).

Um outro putinho está falando agora em petróleo e tentando convencer as donas-de-casa de que foram elas que construíram esses fantásticos aviões Bandeirantes, sim, porque há algo no ar além dos aviões de carreira.

O Chris vai bem e está com o avô, em Ribeirão Preto. Vou buscá-lo amanhã. Saudade é mensurável. Coisa. É física. A falta do baixinho me machuca. Lá vai a galinhona imensa catar o pintinho.

Estou com problemas de grana. E sem soluções mágicas no horizonte.

Joana J
1972
atriz
São Paulo
pág. 112

Estou só. Não tenho encontrado muitas pessoas pelas andanças, ou sequer pessoas muito inteligentes (ao menos boas ouvintes). **Joana Fomm** *está agora num comercial. Já é um pouco de você.*

Ah! Falei na terça na Faap e de você.

Em continuando, deve ser mesmo engraçado receber, daí, cartas daqui. Elas devem ser bem semelhantes. A cidade grande em seu mais típico produto (o neurótico) se manifestando desavergonhadamente ao saudável mundo da não poluição e dos que abandonam tudo a tempo (neuróticos e meio?). Há uma apologia das Forças Aéreas, a cores, na televisão. Pronto. Acabou.

Outra editora requeriu falência. A Lello. Portuguesa, com certeza. Brasileira de coração? Fodeu-se. Como tudo que queira insinuar cultura na terrinha. Editor, se entra em banco hoje em dia, assusta o gerente, que chama a polícia. Cultura não tem conotação com estrutura (a elementarmente capitalista).

Ah, fui ver Os Três Mosqueteiros *(o filme) e saí alegre do cinema. Filme lindo, bem-feito, com a apresentação mais bonita (falo em plástica) que já vi. Depois é toda a infância mentirosa da gente indo pra merda, o que é simplesmente maravilhoso. Sim, porque "um por todos e todos por um" só podia ser mesmo lema de bando, bandido, bêbado e louco. E lá vem pra tela então aqueles maravilhosos anti-heróis, fazendo tantas cagadas, sujos como deveriam ser na época idealizada, etc, etc. É filme pra gratificar a gente mesmo.*

Afinal, você já o viu?

Agora é meia-noite, vou ler Brecht segundo *(seria sobre?)* Brecht.

E a criatividade, como vai?

Não vá se intoxicar com os cheiros do mato.

Não fique saudável demais (eu não ia poder acompanhar. Já levo um mês de desvantagem na poluição).

Não morra de saudade que não lhe ficará bem.

Sim, sim, sim, escreva muito e rápido.

Beijo (grande) da Gabi.

MARINHO PEREZ, jogador de futebol (Lisboa, 1991)

Capitão da seleção de 74, ficou meu amigo nas minhas andanças por Portugal.

Gordo, chegado na cerveja farta, sempre com a engraçadíssima mulher Mazé e o filho Junior (bate com os três dedos, orgulhava-se), treinava o Sporting há mais de dois anos.

Numa das Copas Uefa, o seu time ia à Espanha enfrentar o Real Madrid, mas ele não foi. Ficamos em Lisboa, na casa do Marcelo von Zuben, outro bebum. E o Marinho me contou por que não acompanhou o time à Espanha:

Depois da Copa de 74, eu fui vendido para o Barcelona, que montou um timaço. Fui, ganhando uma nota preta. Só que, quando chegou o primeiro pagamento, tinha quase 70% de descontos, porra! Fiquei puto, fui falar com o presidente. Ele me disse que era porque eu era estrangeiro. Mas, se eu me naturalizasse, o desconto era só de 20%. Porra, meu sobrenome é Ulibarri Perez, tudo espanhol. Em um mês tinha virado espanhol. Foi aí que eu me fudi!

Você não vai acreditar, mas fui convocado para servir o exército. E lá o exército é três anos, meu! Aí eu cheguei para o presidente e nós dois chegamos à conclusão que aquilo não era bom pra ninguém. Nem pra mim, nem para o Barça e muito menos para o exército espanhol. Demos um jeito e ele me vendeu para o Inter de Porto Alegre. Só que eu não podia sair da Espanha, pois seria desertor. Fugi pelo estreito de Gibraltar. Então é isso, se eu entrar na Espanha, sou preso e me mandam para o quartel. Já pensou, cara?

MÁRIO ALBERTO DE ALMEIDA, estudante (Lins, 1960)

Eu tinha 14 anos. Queria ser comunista. Já era jornalista, mas morava lá em Lins. Minha primeira oportunidade surgiu quando a UPES (União Paulista dos Estudantes Secundaristas) foi fazer lá sua assembléia anual.

Eu desbundei com aquilo. Ficava na frente do hotel vendo aqueles rapazes lendo livros em francês, falando do Jango, da reforma agrária. Eu ali, aprendendo a ser comunista.

No dia da abertura, a turma foi dividida em vários núcleos de debates. Eu me inscrevi, todo metido, em Reforma Empresarial. Éramos uns 12, numa salinha, no Círculo Operário, discutindo o assunto. Eu não entendia nada do que eles falavam. Citavam autores fora da minha alçada. Usavam expressões em inglês, imagina. Eu anotava tudo. Me davam umas revistas que meu pai olhava meio de lado. Estavam começando a projetar o Muro de Berlim. Meu pai dizia que aquilo era um bando de comunistinhas de merda, uns bostinhas. E eu, lá.

No último dia, assembléia geral. O presidente da UPES era o José Álvaro Moisés (hoje braço direito do ministro da Cultura), um ano mais velho do que eu. Inteligentíssimo. Cultíssimo.

Ele ia chamando um estudante de cada núcleo para apresentar as conclusões dos debates. Quando chegou na Reforma Empresarial, ele disse:

— Chamamos à mesa o companheiro Mario Alberto.

Gelei. Tinha ali uns mil estudantes. O que é que eu ia dizer? Tinha gente da minha cidade lá. E eu não tinha chegado a nenhuma conclusão sobre a porra da reforma.

Para meu alívio, outro cara se levantou. Ele. Era um gordinho de Campinas. Sim, existia outro Mario Alberto no mundo. E o meu xará foi brilhante.

Anos depois, eu voltaria a me encontrar com ele, na faculdade, em São Paulo. Ele era namorado da **Zuleika Alvim** e estudava Física na USP.

M

Z **Zuleika**
1968
estudante
São Paulo
pág. 244

MÁRIO MORAES E CASTRO, tabelião (Uberaba, 1918)

Meu avô materno foi o homem mais magro que eu já conheci. Tinha 1,75m e pesava 44 quilos. Ou seja: pele, osso e alguns órgãos.

Um dia, numa mesa de bar (bebia uísque com guaraná e fumava Douradinhos) fez uma aposta com os amigos. Iria se casar com a mulher mais bonita de Uberaba. **Aspásia Cunha Campos** foi eleita miss Uberaba 1918.

A **Aspásia**
1960
educadora
Uberaba
pág. 32

Foi lá pedir a mão da moça. O pai dela, Pai Tunico, analisou a situação. O pretendente tinha um cartório, o que significava futuro garantido para a filha, uma das oito que tinha: Eponina, Fiíca, Cândida, Abadia, Rita, Dídia e Raimunda.

Pai Tunico determinou:

— A Aspásia é da sua idade. Vocês estão só com 18 anos. Vai trabalhar mais um pouco, depois você volta aqui e escolhe uma das mais novinhas.

Floriscena, mais conhecida como **Fiíca**, seria a minha avó.

F **Fiíca**
1981
dona-de-casa
Uberaba
pág. 89

Nunca se amaram, nunca se bicaram. Meu avô tinha uma amante e um fusca. O fusca tinha persianas Colúmbia. Era o único fusca com persianas na cidade. Quando passava aquele fusca pela Leopoldino de Oliveira todo mundo sabia que era ele com a amante. Inclusive a minha avó.

MÁRIO PALMÉRIO, escritor (Uberaba, 1993)

Moravam juntos, no Rio, no tempo de estudantes, ele, meu pai e o **Lolô**.

L **Lolô**
1975
médico
Rio
pág. 144

Fiquei amigo do Mário há pouco tempo, através do meu pai. Convivi em ele os seus últimos dez anos de vida. O autor de *Vila dos Confins* e *Chapadão do Bugre* tinha preguiça de escrever mais. Coçava o saco. E pintava passarinhos.

Ficava nu na varanda da sua fazenda, deitado na rede, lendo os jornais do Rio e uma índia sentada ao lado, coçando o saco dele. Juro.

MARLY MARLEY, estudante (Lins, 1960)

A notícia correu a cidade. A futura vedete ia embora.

— Ela vai se mudar de Lins amanhã. E hoje de noite, no coreto, vai mostrar os peitos.

Ela tinha o quê? Dezoito, dezenove anos. Um par de seios já motivo da masturbação de toda a minha geração interiorana.

As outras meninas, talvez por inveja, diziam que eram postiços. Enchimento! Por isso que ela ia mostrar. Pra provar! No coreto, em frente da igreja e de Deus.

A praça, cheia. Tinha a hora certa. Não deu outra. Nove da noite ela subiu lá em cima, e para alegria e gáudio de toda uma cidade, mostrou o que tinha de melhor.

Foram os primeiros seios que vi na minha vida, ali, numa noite estrelada. Inesquecíveis, grandes, empinados, bico cor-de-rosa. Uma dádiva de Deus para os meus 14 anos.

MARTA GÓES, jornalista e escritora (Araraquara, 1974)

A gente marcava e desmarcava tanto o nosso casamento que, quando entrávamos no Cartório a velhinha chegava até a dar conselhos pra nós.

Felizmente, entre o casamento e a separação, cinco bons anos, deu tempo para fazer o Antonio e a Maria.

Nos separamos tanto, antes de casar que, numa dessas, ela arrumou outro. Fiquei mal. Chorei. Não nos ombros do Chico Buarque, mas na rede dele.

No dia seguinte, o Chico me liga e marca uma carne-seca no Final do Leblon.

Começa a batucar na mesa:

— Fiz uma música com a história da Marta.

E cantarolou versos ainda esparsos:

Quando você me deixou, meu bem, me disse pra ser feliz e passar bem

Olhos nos olhos, quero ver o que você faz

Ao saber que sem você eu passo bem demais

Tantos homens amei e bem melhor que você

Sendo que nesse último verso ele morria de rir.

Quando voltei para ela, contei da nova música que seria gravada pela Maria Bethânia. Vou com ela na casa do Chico. O Chico canta para ela, tirando sarro com a minha cara.

Nunca contamos isso pra ninguém, porque ninguém ia acreditar que "Olhos nos Olhos", essa obra-prima, tinha sido feita para nós dois. Mas contamos para o Humberto Werneck quando ele estava escrevendo o *songbook* do Chico. E o viado do Chico negou, deixando eu e a Marta com a cara (e os olhos) no chão.

Primeira oportunidade, cobro do Chico. Ele, desculpando-se:

— É que, na época, eu disse para outra pessoa, que tinha feito para ela. Entendeu?

Entendi.

MARTA SUPLICY, sexóloga (Rio de Janeiro, 1982)

Aeroporto Santos Dumont, um calor infernal, filas homéricas para pegar a ponte-aérea. Já com a minha ficha de embarque, estou sentado no saguão. Passa a Marta, toda de amarelo. A gente não se conhecia.

Quer dizer, eu conhecia ela. Tinha aquele programa de sexo na Globo, era famosíssima. Passou por mim, fiquei olhando. Pensando besteira, é claro. Uma mulher que entende tanto de sexo, bonita daquele jeito, a gente sempre fica a imaginar coisas. No que passou e a vi por trás, havia uma grande mancha de sangue no vestido. Ela estava menstruada e não sabia.

Ali, diante de mim, uma sexóloga menstruada. Todos aqueles executivos da ponte-aérea olhando e comentando.

M

Eu tinha uma calça na bolsa que não havia usado. Fui ao Rio para dormir, mas resolvi tudo e estava voltando. Saí à cata dela.

Mas como é que eu ia entrar no assunto? Já pensou a situação? Primeiro avisava do problema, depois me apresentava? Me apresentava primeiro e depois puxava o assunto? Passava um bilhetinho anônimo? Ela não podia embarcar naquelas condições, pensava eu.

Só fui encontrar com ela lá na sala de embarque, encostada na parede. Tinha ido ao banheiro e passado uma água no vermelho do amarelo. Tinha ficado pior. Cheguei na maior cara de pau:

— Olha, você não me conhece, eu sou ex-marido da Marta Góes (que era amiga dela) e estou sentindo aí o seu problema e tenho uma calça aqui, de elástico, se você quiser.

Ela quis. Logo depois voltou vestindo a minha calça e com o vestido dela num saco plástico. Mas ela ia embarcar só no outro vôo. Ficou com a minha calça e eu levei o vestido dela na frente, depois de trocarmos telefones.

Luciana L
1985
fotógrafa
São Paulo
pág. 146

A **Luciana De Francesco**, com quem eu estava casado, até hoje não acreditou muito na história. Nem o **Eduardo Suplicy**, saberia depois.

Dias depois, a Marta me liga. Minha calça estava pronta. O vestido dela, também. Marcamos dela ir assistir a minha peça *Besame Mucho*, no Augusta, e faríamos a troca. O Eduardo foi com ela. A Luciana foi comigo. Depois fomos jantar os quatro, no Gigetto.

Eduardo E
1983
senador
São Paulo
pág. 80

E foi naquele dia que surgiu a parceria da peça que escreveríamos juntos, *Papai & Mamãe – Conversando Sobre Sexo.*

MATEUS SHIRTS, brasilianista (São Paulo, 1985)

— É da casa do senhor Mario Prata?

A voz era grave, séria.

— Pois não.

— O senhor é amigo do senhor Matthew Gary Shirts?

Percebi que ele estava lendo o nome do gringo. E com

péssima pronúncia. E, quando dão o nome inteiro, a coisa é grave.

— Quem está falando aqui é o gerente do bar Luar de Agosto, na Angélica.

— Pois não.

— O seu amigo pediu para chamar o senhor porque está havendo aqui um probleminha com ele.

Fui correndo, era a três ou quatro quadras da minha casa, na Alagoas.

Claro, mais uma vez "o americano que bebe", segundo o secretário da Cultura Ricardo Othake, devia estar completamente bêbado. E não eram nem nove da noite.

Chego, tá lá o americano de bermuda, jogado numa cadeira, boca torta, tentando ver o peito da mulher da outra mesa sem ao menos disfarçar. Tentou levantar, reconheço, mas achou melhor ficar sentado mesmo.

— Já disse que não faço outro cheque! Já disse! Não faço outro cheque.

Vou até o gerente, ele me mostra o cheque que eu guardaria por anos, até se desfazer.

— O senhor há de convir que eu não posso aceitar esse cheque.

Volto para a calçada, na mesa dele.

— Mateus, é melhor fazer outro cheque.

— Já disse que não faço. Onde é que está o erro?

— O por extenso tá errado. É dezesseis cruzados e ponto. Ponto, Mateus.

— E o que foi que eu escrevi?

— Você escreveu dezesseis cruzados e zero centavos.

— Então? Quantos centavos foram?

— Zero.

— Então, porra! Onde é que está o erro?

Dei um cheque meu e fomos embora. Ele, tentando, de todas as maneiras, me provar que o cheque estava certo.

Pensando bem, estava.

Volto pra casa e ele continua a noite. No dia seguinte, me liga para agradecer pelo cheque e me conta o fim da noite.

M

Cheguei em casa quase cinco da manhã, naquele estado. Tinha esquecido a chave. O prédio não tem porteiro. Quinto andar. Nenhum puto no bolso, nenhuma ficha de telefone para acordar a Silvia.

Vou até a banca da Villaboim. O viado não tinha ficha. Tento fazer uma ligação a cobrar pra casa (naquele tempo ainda não existia essa facilidade para elementos etilizados e elitizados). Tou lá na briga com o orelhão, entra a voz de uma funcionária me informando que não dava para fazer ligação a cobrar para a mesma cidade. Sentei no banco da praça e fiquei pensando.

Liguei de novo e disse que estava em Santos. Levei um esporro da mulher: não minta, senhor! O senhor está num orelhão da Praça Villaboim, em São Paulo!

Tinha que ligar para alguém fora de São Paulo, acordar esse alguém, pedir para acordar a minha mulher, ir pra casa e levar aquele costumeiro esporro.

Foi quando eu me lembrei que, lá na Califórnia, já eram dez da manhã. Liguei para o escritório da minha mãe em San Diego, expliquei mais ou menos a situação para ela que não fala português que ligou para a Silvia que não falava inglês ainda.

O que eu sei é que a Silvia, quase com o pau de macarrão, desceu. Até agora as duas ainda não entenderam muito bem o que houve.

MAURA DE TAL, estudante (São Paulo, 1968)

Ela ia para o congresso da UNE (extinta pelos militares em 64) em Ibiúna. Tinha que estar no ponto às cinco da tarde. Eu não ia porque não tinha conseguido licença no Banco do Brasil.

É que a gente estava pra transar há meses. Ela namorava um grande líder estudantil, hoje deputado. Mas tinha um clima, sabe? O namorado, que era da diretoria, tinha ido antes.

O que aconteceu é que a gente acabou indo para o meu apartamento, a coisa rolou e rolou legal. Tinha sido a primeira, depois da **Zuleika**.

Zuleika Z
1968
estudante
São Paulo
pág. 244

M

Eu sei que ela acabou perdendo o ponto para viajar.

Nesta mesma noite a polícia chegou lá no congresso e prendeu todo mundo. Liguei pra ela:

— Viu a sorte? Todo mundo preso! Novecentos estudantes presos pelo delegado Fleury!

— *Sorte? Como você é burguês, companheiro! Tou por aqui com você! Eu tinha que estar lá! Tinha que estar, agora, presa com os companheiros! E tenho certeza que vai pintar um viado qualquer e achar que fui eu que delatei, por isso que não fui. Você fudeu comigo, burguesinho do interior!!!*

É, ela tinha perdido a chance de entrar para a História do Brasil.

Bateu o telefone na minha cara e nunca mais deu pra mim. Lá no Banco, desliguei o telefone e, todo burguês, continuei a carimbar títulos a vencer.

MAURILO MORAES E CASTRO, dramaturgo e meteorologista (Brasil, 1960)

Irmão da minha mãe. Formado "com as notas as melhores", em Ouro Preto, meu avô **Mário** despachou ele para os Estados Unidos: pós-graduação em Meteorologia.

M **Mário**
1918
tabelião
Uberaba
pág. 167

Um dia, na Broadway, resolveu assistir *My Fair Lady*. A vida dele nunca mais seria a mesma. Pirou. Se apaixonou pela peça, pelo teatro, pela dramaturgia. Ficou amigo do elenco, não saía mais de lá. Foi quando teve a idéia de fazer um musical "sério" aqui no Brasil.

Juntou-se ao Dorival Caymmi e fizeram *Peguei um Ita no Norte*, tentativa de ser o primeiro teatro-musical brasileiro tipo Broadway. Isso foi em 58. Walter Pinto, que tinha o monopólio das revistas musicais brasileiras — dizem — pagava pessoas para irem vaiar o espetáculo.

Foi um retumbante fracasso que levou quase toda a família à falência. Até minha mãe tinha vendido umas jóias para investir no irmão.

Ficou duro, duríssimo, desempregado. Todo o elenco na cola dele, que devia pra Deus e todo mundo.

M

Foi quando o Maurilo descobriu que, como presidente da Associação Brasileira de Meteorologia, ele tinha direito de viajar de graça de avião por todo o Brasil. E foi isso que ele fez durante cinco anos.

Pegava a ponte-aérea pra São Paulo pra tomar o café da manhã. Dava uma perambulada e ia almoçando pra Porto Alegre. Visitava uns amigos, tomava um banho e voltava jantando pra Curitiba. No vôo para Manaus dormia, que ninguém é de ferro. Cinco anos.

Num desses vôos ele conheceu a Lucy, pousou e casou.

MELCHIADES CUNHA JUNIOR, jornalista (São Paulo, 1971)

Até hoje é conhecido como Capitão.

Nunca foi militar — muito pelo contrário — mas na época do Tuca e dos militares, por ser o mais velho, pegou o apelido de Capitão.

Inveterado boêmio, ótimo papo, católico de ir à missa. Mas não saía dos bares. Não me lembro nunca dele ter se arvorado para alguma mulher, mesmo estando etilicamente desequilibrado.

Um dia, os militares — à procura de alguém para torturar — ficaram sabendo daquele boêmio que atendia por Capitão. Mandaram uma viatura prender o homem e ele ia ter que se explicar.

Chegaram cedo na casa do Capitão. Oito da manhã. O boêmio dormia, é claro. E a empregada foi logo explicando:

— Melhor não acordar ele agora, não. Ele fica tiririca da vida! Eu é que não vou acordar, não.

Os sargentos ficaram com medo de acordar o Capitão. Esperaram até duas da tarde, sentadinhos. Ele acorda, colocam um capuz nele e levam para lugar que até hoje ele não sabe onde foi. Foi devolvido de noite. Vivo, mas proibido, inutilmente, de ser chamado de Capitão.

Anos depois, se separaria da Suzana e corria de bar em bar dizendo para os amigos:

— *Esparrama aí que o Capitão é bom de cama!*

MIKA LINS, atriz (Angra, 1990)

Ah, os seios dela aos 23 anos.

O Cláudio Khans, o marido, meu amigo e colega lá na Secretaria da Cultura, me convida para um fim de semana prolongado numa casa cinematográfica em Angra. Toda de vidro, em cima de uma pedra, no mar. Até hoje não sei onde o Cláudio descolou aquela casa.

Fomos eu, meus filhos Antonio e Maria. Cláudio, o filho André, a Mika (que não era a mãe do André) e a irmã dela, da idade dos meus filhos. Tudo ali, entre 12 e 14 anos.

Verão, sol, amigos, churrasquinho, muita cerveja, fumo, carinho. E os seios dela. Existem seios e seios. E aqueles. Seios que eu já havia visto de relance, anos antes (ela teria o quê?, 19) quando ela namorava o **Cacá Rosset** num almoço no Mássimo.

Machado de Assis diria que eles eram em forma de pêra aveludada. Com aquela levíssima penugem, sabe? Ali, na minha frente. Dois, como se um não bastasse.

Sim, ela não usava a parte de cima do biquíni. O dia inteiro. Até dentro de casa, fazendo um bife apimentadíssimo. No sol, então, a coisa reluzia.

Confesso que fico um pouco constrangido com essas modernidades. Cláudio, sempre ao lado, com aquela cara de judeu moderno, parecia relaxado. Como se não fosse com ele. Mas eu, com minha formação linense e salesiana, não podia acreditar que ele não estava nem aí. Ficava difícil o diálogo. Era difícil não olhar.

Foi quando o Antonio e o André começaram a passar mal. Talvez excesso de sol. Mas eles alegavam que aquela pizza que estava na geladeira estava estragada. Vômitos, febre.

Anos depois, ele me confessaria.

— Pai, lembra aquela vez com o Cláudio e a Mika? Era a Mika mesmo. Não foi a pizza, não. Punheta mesmo.

E eu, réu confesso:

— Naqueles dias também comi pizza estragada. Não muita, como vocês, mas alguns pedaços.

C **Cacá**
1988
diretor e ator de teatro
São Paulo
pág. 43

Comento essa história com a Mika. Vou publicar aqui. Ela não liga. Diz que quem tem que autorizar é o Antonio e o André. Os dois negam.

Resolvo então, não publicar. Mas o André:

— Publica sim. É mentira, mas a história é muito boa.

MILLÔR FERNANDES, escritor e filósofo (São Paulo, 1999)

Essa é verdade. É uma crônica que publiquei no *Estadão*. Chama-se "E o Millôr onde fica?".

Não sei se, no final do milênio passado, fizeram tantas listas. Nem nos outros. No mundo e no Brasil, proliferam as listas. Lista dos melhores do milênio e, de quebra, lista dos melhores do século. Adoro essas listas.

Claro que, cada um de nós, tem sua lista na cabeça. Conseqüentemente, discordamos das várias que andam por aí, num ou noutro ponto. No mais, é quase tudo unanimidade.

Mas quero me referir a uma, específica, da revista ISTOÉ. *A revista vem fazendo suas listas brasileiras há algumas semanas. E de forma brilhante e isenta. Desta vez, foram os 20 melhores escritores do século. Em primeiríssimo lugar, como era esperado, o pai e avô de todos nós, o Machado de Assis.*

Mas, mais uma vez, ficou provado que humorista, no Brasil, não é considerado escritor. É qualquer coisa, menos escritor. Veja a lista da revista: dez romancistas, seis poetas, dois ensaístas e um dramaturgo, o cada vez melhor Nelson Rodrigues. Nenhum dos 20, com o mínimo senso de humor. Gente seriíssima e competente como Graciliano, Guimarães, José Lins do Rego ou Gilberto Freire.

Tudo bem, Vinícius, Mário, Jorge, Quintana e Lobato tinham lá o seu bom humor. Mas não é por causa do humor que estão na lista. É pelo lado sério deles. O Oswald, por exemplo, não está lá porque, às vezes — era metido a engraçadinho.

Toda essa introdução é para dizer que me revoltou não estarem lá nem o Luís Fernando Verissimo (o pai, gauchão sério, está), nem o Sérgio Porto e nem — pasmem! — o Millôr

Fernandes. Tá certo que, entre os jurados estava o jogador de futebol Ronaldão e gente da sempre carrancuda USP.

O Millôr — que eu conheci antes de ganhar o seu primeiro milhão — não estar lá — pelo menos ele —, me irritou. Ele tem, dentro do humor e da filosofia brasileira, a mesma importância que o Machado tem para os romancistas de hoje e o Nelson para os dramaturgos. É o Drummond do humorismo. Seu único erro na vida foi ser rotulado de humorista. Isso o deixa — para os intelectuais que fazem listas — no mesmo nível do Arrelia e do Renato Aragão? Ambos, aliás, geniais dentro do que fazem.

Dói o Millôr não ser um dos 20 melhores escritores do século. Não ser um dos cinco, tudo bem. Mas, com certeza, entre os dez melhores ele tem que estar. Tem!!!

O Millôr não é apenas humorista. Genial tradutor de Skakespeare e de vários alemães. Tradutor dos melhores escritores do mundo. Jornalista. Fundador do Pasquim, *um tabloidezinho que mudou a imprensa no Brasil. Mudou a maneira de se fazer entrevista. Revelou gente de inegáveis valores. 25 anos no* Cruzeiro, *14 na* Veja, *6 no* Pasquim, *10 na* ISTOÉ, *8 no* JB. *Fora o resto.*

Se valer o quesito, foi preso também. Só que não escreveu as suas memórias do cárcere.

Pra mim — e pra você também, tenha certeza — o Millôr é definitivo. Seu livro Millôr Definitivo *traz, logo na capa, 5.142 pensamentos, preceitos, máximas, raciocínios, considerações, ponderações, devaneios, elucubrações, cismas, disparates, idéias, introspecções, tresvarios, obsessões, meditações, apotegmas, despropósitos, apodos, desvarios, descocos, cogitações, plácitos, ditos, sandices, especulações, conceitos, gnomas, motes, proposições, argumentos, filactérios, reflexões, escólios, conclusões, aforismos, absurdos, memórias, estultilóquios, alogias, despaupérios, aquelas, insultos, necedades, dislates, paradoxos, prótases, sofismas, singularidades, miopias, estultícias, silogismos, tergiversações, enormidades, paranóias, leviandades, imprudências, incoerências, desabafos, heresias, hidrofobias, sofismas e dizidelas, da dialética do irritante guru do Meyer.*

M

E a epígrafe desse mesmo livro é a seguinte:

"Tenho quase certeza de que uma vez, no Meyer, em certa noite de tempestade, fui barbaramente assassinado. Mas isso foi há muito tempo."

E sabe quem foi, Millôr? O Ronaldão e a turma dele.

MIÚCHA, cantora (Rio, 1973)

Ficamos, eu e ela, de assistir ao show do João Donato. Pediu que eu a pegasse em casa, Ipanema, pra gente fumar unzinho antes. É Ouro do Prata, um fumo excelente que tinha pintado, havia me dito na praia.

Chego, está o pai dela, o professor Sérgio Buarque de Hollanda, sentado numa poltrona, com a *Veja* dobrada numa página. Estava irritado com a notícia. Uma fofoca dizendo que a recém-viúva do Allende estaria de caso com o embaixador americano em Santiago do Chile.

— Não sei como a *Veja* publica um absurdo desses! Isso é coisa plantada pela CIA e o Civita engole!

Na casa da Miúcha sempre teve, logo na sala, um elefante pequeno, de prata, cheio de furinhos nas costas, onde ela deixava uns vários cigarrinhos, já prontos. Quando saímos, deixamos cinco.

Depois do show, já com o João e o **Tarso de Castro**, a bordo, passamos lá de novo para mais um tempinho de abertura de apetite.

O professor havia fumado os cinco cigarros e apagado no cinzeiro como se Minister fossem. E estava na mesma página da *Veja*. Mais calmo, é claro. Deve ter viajado muito. Dona **Maria Amélia**, no canto, serena, tomava sua cachaça como se uísque fora.

Bebel dormia no sofá com o cachorro.

Miúcha, outro dia:

— *Na verdade o papai não era maconheiro. Era exibicionista! Gostava de fumar maconha quando tinha visita.*

Tarso T
1980
jornalista
Rio
pág. 226

Mª Amélia M
1972
do lar da
Buri
São Paulo
pág. 159

Bebel B
1973
estudante
Rio
pág. 35

NAVES, fazendeiro (Lins, 1962)

O brasileiro sempre gostou de mentir. Mas, antigamente, a mentira era contada como mentira mesmo. Tanto o narrador quanto o ouvinte sabiam que aquilo era uma mentira. O que mudou é que hoje o ouvinte continua sabendo que o narrador mente, mas o narrador afirma caradepaumente que se matará se o que ele diz for mentira. Antes a mentira era de mentirinha. Hoje a mentira é de verdade.

Em toda cidade do interior sempre existiram os personagens manjados. Tinha o corno, o viado, o doido, o bêbado e tinha, claro, o mentiroso. O mentiroso era um profissional da mentira. Em Lins, tinha o Naves. Como mentia bem! Era um prazer adolescente, sentar perto dele no bar do clube e ficar horas a ouvir as mentiras que ele contava como se os fatos houvessem acontecido com ele, um dia antes.

Casos que ele contava enquanto mastigava a sua dentadura como se fosse chiclete:

Um dia eu estava andando pelo matagal da minha fazenda e ouvi alguém cantando "Mulher Rendeira". Ficava repetindo sem parar: "Olê mulher rendeira, olê mulher rendá, olê mulher rendeira, olê mulher rendá!" Bem entoadinho. Mas, no meio daquele mato não podia ter ninguém. Lá só tinha onça. Aí então, eu aprumei o ouvido e fui caminhando na direção do som. Cada vez mais alto. Sabem o que era? Era um pedaço de disco quebrado no chão e o vento fazia um galho balançar e passava um espinho pelo disco.

Outra mentira, esta, dupla:

Teve um ano que as raposas estavam muito ariscas, muito rápidas. Então o que eu fiz? Peguei dois cachorros, amarrei um nas costas do outro e eles saíam em disparada. Quando um cansava, virava, e o outro corria. Assim por diante. Peguei muita raposa assim.

Esta, além de ser uma mentira clássica, não é dele. Se não me engano, é do Barão de Munchausen. Mas ele era assim mesmo.

Outra:

N

Um dia eu perdi o breque do carro ali perto de Bauru, numa descida, não conseguia brecar, fui passando todos os carros, a uma velocidade incalculável.

— Mas a quanto por hora o senhor estava?

Não sei, porque o velocímetro estourou. Só sei que eu estava chupando um picolé e coloquei o palito para fora e ele fazia brrrrrrrrr nos postes.

Mais uma:

Um dia eu fui caçar. Estava voltando para casa e apareceu uma onça pintada. Imensa. Ficou me olhando. Eu olhando pra ela. Eu e ela ali, na mata. Mais ninguém por perto. Tinha duas balas na cartucheira. Dei o primeiro tiro. Estava nervoso, errei. Eu suava frio. Ela foi se aproximando. Babava, a danada, faminta. Dei o segundo tiro, acertei na pata dela. Ela ficou irritada, uma fera. Veio andando para o meu lado. Joguei o facão na bruta. Errei. Ela veio chegando mais perto. Joguei a espingarda nela. Ela só se irritou mais. Olhei para trás. Tinha um precipício. Não tinha saída.

— E aí? E aí?

Aí a onça pulou em cima de mim. Comecei a rezar uma Salve-Rainha.

— E daí? E daí?

— E daí?... E daí, oras! E daí que a onça me comeu!

NELSINHO MOTTA MELLO, musicoterapeuta (São Paulo, 1974)

Serginho S
1974
ator
São Paulo
pág. 214

Ênio E
1974
ator
São Paulo
pág. 82

A peça se chamava *Réveillon*, era do Flávio Márcio e no elenco estavam o **Sérgio Mamberti**, a Yara Amaral, a Regina Duarte, o **Ênio Gonçalves** e, imagine, eu. Era no Sesc-Anchieta, ali na Villanova.

O Nelsinho fazia duas coisas. Antes de começar o espetáculo, vendia os programas. Projetava os *slides* da abertura da peça e não fazia mais nada até o final do espetáculo quando ele tinha que estar esperto para projetar *slides* da Regina morta.

E eu, fazia o filho da Yara e do Sérgio, irmão da Regina que, por sua vez, namorava o Ênio.

Eu só tinha uma cena, a da abertura da peça. Brigava com a Iara e só voltava uma hora e meia depois, para os aplausos, sempre bem-vindos.

E não é que o Nelsinho descobriu que havia uma passagem do teatro para a parte de recreação do Sesc? Mais exatamente para a piscina aquecida? E mais, fechada, sem ninguém. Descolou a luz também.

Acabavam os *slides* do começo, ele ia pra lá, colocava um tripé para pauta, pegava a flauta e ficava estudando. Dizia que a acústica era maravilhosa, enquanto sonhava com a namorada **Marília Gabriela**. E eu, nadava, nu, ouvindo Vivaldi.

O Sérgio Mamberti ficou sabendo da coisa e, como tinha um momento em que ele ficava meia hora fora de cena, começou a freqüentar a piscina.

Pouco tempo depois, começou a levar os filhos **Fabrício**, Carlinhos e Duda. Todo mundo pelado. E o Nelsinho tocando flauta. A maconha já tinha rolado desde antes do espetáculo.

Até que um dia começou a ir, também, a mulher do Serginho, a **Vivien Mahr**. Ficamos um ano em cartaz. No final da temporada já tinha umas 20 pessoas ali. Tudo nu. Até competição a gente fazia.

E o Nelsinho tocava flauta. E tocava bem, muito bem.

NIRLANDO BEIRÃO, jornalista (São Paulo, 1983)

Meu comborço, desde 83. Meu adorável, primeiro, único e eterno comborço. Sem ele a minha vida não teria sido a mesma.

Um dia apresentaram a minha filha para alguém, assim:

— Essa é a Maria. Filha da Marta Góes, do Mario Prata e do Nirlando Beirão.

Minha família.

N

M **Marília**
1974
jornalista
Matão
pág. 163

F **Fabrício**
1992
padeiro
Estoril
pág. 86

V **Vivien**
1978
atriz
São Paulo
pág. 238

N

NORIVAL RIZZO, ator (São Paulo, 1982)

Apesar do sobrenome ser Rizzo, torcedor da Portuguesa de Desportos. De ir ao campo e tudo.

— Pode me explicar?

Posso. Meu pai era italiano da Vila Carrão. Palmeirense roxo. Começou a namorar a minha mãe que era filha de portugueses, com padaria e tudo. Quando a coisa firmou e ela levou o meu pai para conhecer a família, logo perguntaram pra que time ele torcia. Meu pai, pra fazer média:

— Portuguesa, sempre fui Portuguesa!

Levou a maior vaia. Lá, os portugueses eram todos palmeirenses. Aí ele não podia voltar atrás. Pegava mal. E começou a torcer pra Portuguesa. Ficou sócio e tudo. Quando eu nasci, me levava no Canindé. Virei Portuguesa.

Mas essa história eu só soube um dia antes ele morrer. Estava no hospital entre a vida e a morte. O Santos e a Portuguesa disputavam o título no Pacaembu. Foi aquele jogo que o Armando Marques fez aquela cagada e os dois times foram proclamados campeões. Eu vibrei. A Lusa nunca tinha sido campeã.

Estava no corredor, ouvindo o jogo no radinho. Entrei, falando baixinho pra ele que a gente era campeão paulista.

Foi aí que ele me contou a história toda e ainda acrescentou:

— Quero que a Portuguesa vá pra puta que a pariu!

E morreu.

O

OLAVO MARTINS, bancário (São Paulo, 1967)

Quando o seu Olavo descobriu que a mulher dele dava para todo mundo, todo mundo lá no Banco já sabia.

Era meu chefe. Tinha o logotipo de meu chefe: carequinha, bigodinho fino, óculos, baixo. Tinha o logotipo de corno: bonzinho, fazia churrasco e era limpo, muito limpo. E o mais grave: andava, na rua, com a mão no ombro da esposa. Todo corno que se preza anda, na rua, com a mão no ombro da esposa que o trai.

Para ele foi um choque, quando descobriu tudo, coitado. Sabia que eu morava numa pensão na Barão de Limeira, para rapazes de fino trato, que era o meu caso. Na frente morava o Pagano Sobrinho que ficava cantando a gente. Falei com a dona da pensão e o seu Olavo foi morar lá. Mais: no meu quarto. Que tinha também o Canário e o Benê.

Fiquei chocadíssimo quando descobri que ele, aquele senhor, meu chefe, se masturbava debaixo do lençol. Velho punheteiro, é o que eu pensava olhando ele conferir meus carimbos lá na Penha.

Coitado, o velho tinha só 40 anos.

OSWALDO GABRIELI, multimídia (São Paulo, 1984)

O escritor uruguaio Rubén Castillo me liga de Montevidéu e pede que eu indique um espetáculo de São Paulo para o Festival de Teatro do Uruguai. Por coincidência, naquela noite assisti o Grupo XPTO no Maria Della Costa.

Me apaixonei pelo grupo. Convidei para ir ao festival. Os meninos, liderados pelo Oswaldo, não acreditaram. Até hoje, não sei se o convite foi pelo talento do grupo ou a beleza da Natália. Todos do grupo eram homossexuais. Incluindo um, de Lins, neto do doutor **Dionísio**, quem diria.

Ele, mentor intelectual e sexual do grupo, o argentino mais criativo que eu já conheci, popular Bochecha, cismou que eu também era *gay*. Meses depois, em Montevidéu, me vendo cair babando em cima da Natália, me explicou:

D **Dionísio**
1965
médico
Lins
pág. 74

— É que uma vez você se referiu a alguém que você tinha transado como "uma pessoa". E, para nós quando um *gay* fala "uma pessoa", é do mesmo sexo.

Nunca mais transei com uma pessoa.

PAULINHO PONTES, escritor (Rio, 1973)

Naquela mesa da Fiorentina, no Rio, só tinha cafajeste. Era de Carlos Imperial (hoje, morto) e Jece Valadão (hoje, pastor) pra baixo. E o Paulinho, que havia chegado há poucos dias do Nordeste, magrinho, tímido, querendo mostrar as peças de teatro que trazia debaixo do braço.

E os adoráveis cafajestes começaram a contar vantagem. Quem tinha comido quem. Com o passar do tempo e do uísque, tinha nego ali jurando que tinha comido a Ava Gardner. Outro, a Gina Lollobrígida. Um terceiro não comeu a Brigitte Bardot porque não quis.

E o Paulinho, tomando seu chopinho. Quando um deles disse que ia embora porque a Jaqueline Mirna estava esperando ele, o Paulinho perguntou:

— *Vocês aqui do sul já ouviram falar no Lampião?*

Claro!, todos disseram.

— *Meu pai comeu muito o cu dele!*

PAULO CARUSO, cartunista (Sorocaba, 1997)

Quando eu resolvi escrever o *Diário de um Magro* lá no spa São Pedro, convidei o Caruso para fazer as ilustrações.

O **Fernando Morais**, que também estava lá, ouviu o telefonema e foi direto ao que interessava:

F **Fernando** 1998 escritor Sorocaba **pág. 88**

— Fala pra ele trazer uma garrafinha de uísque.

— E a revista na entrada?

— Fala pra ele esconder dentro do carro. O carro eles não revistam.

— Certeza?

— Bsoluta.

A partir daí, a coisa virou uma operação de guerra. A entrada do uísque no spa. Eles dizem por lá, que é mais fácil um sujeito fugir da penitenciária de San Quentin, nos Estados Unidos, que álcool entrar lá dentro.

A operação começou com o Fernando indicando onde tinha garrafinhas pequenas, em São Paulo. Eu insistia que ele deveria trazer dentro da cueca. O Fernando dizia que no carro não tinha erro. Falávamos por celulares, debaixo de frondosas árvores nos desviando das gordinhas e dos prováveis consumidores. Enquanto isso o sol ia sumindo no meio dos eucaliptos e a fissura aumentando.

O Caruso liga da Castelo. Não tinha conseguido daquelas pequenininhas. Tinha comprado uma média. O Fernando achou melhor e eu achei pior. Percebia que o Caruso era virgem em spa. Principalmente, aquele.

Acabamos de jantar, o Fernando foi jogar buraco e eu fui para o quarto escrever. Conforme combinado ele ligou a dez minutos do local. Passei pela sala de jogos e pisquei para o Fernando. Ele anuiu, disfarçadamente, com um meneio de cabeça e olhinhos ávidos. O consumo ia ser no quarto dele. Já tinha providenciado gelo e dois meios-bagos de uva para tira-gosto.

Chego na portaria, lá estão ele e a Maria Eugênia. Preenchendo as fichas.

— E aí?

— *Debaixo do banco do carona.*

Foi ele acabar de falar e entra o Jurandir, da segurança, com um imenso litro de uísque na mão, junto com a chave do carro.

A mocinha da recepção estava perguntando a religião dele.

— *Católico, minha filha.*

Devolveram na saída, uma semana depois. Nos liga do celular:

— *Estou na estrada. Bebendo no gargalo.*

PAULO SOUSA, produtor cinematográfico (Cabo Verde, 1991)

Narcisamente, o brasileiro adora a própria bunda.

Mas de onde veio a nossa bunda? Não das alvas portuguesas, muito menos das esparramadas italianas e, menos ainda, das desbundadas japonesas. Muito menos das amassadas índias. Sempre me intrigou esta tanajúrica pergunta. Quem arrebitou com pincel de ouro, com formão de prata, a bundinha brasileira?

Tinha essa dúvida até conhecer o Paulo, o genial escritor Germano Almeida e Cabo Verde, um país de dez vulcânicas ilhas na costa oeste da África. Foi lá que tudo começou. A bunda, eu quero dizer.

O país tem, atualmente, mais ou menos, 300 mil bundas ambulantemente espalhadas. Bundas livres de Portugal desde 1975. E a bunda brasileira, antes de chegar aqui, passou por lá, vindo do continente africano. Ou seja, foi lá que inventaram a fórmula, o contorno quase lúdico, o molde mais que esteticamente perfeito. A bunda politicamente correta. Tenho certeza dessa afirmação e vou tentar provar.

Foi em Cabo Verde que surgiram as primeiras mulatas. Apesar da palavra mulata ter origem espanhola, o conteúdo foi uma criação dos ingleses, holandeses e dos franceses que por lá passavam desde o começo do século XVI com seus navios negreiros trazendo escravos para o Brasil. Lá era o *point* no meio do Atlântico. E lá os brancos deixaram o sêmen (do latim *semen*, que significa semente) para a fabricação das mulatas com suas respectivas bundas. Gostavam tanto das cabo-verdianas que Sir Francis Drake, pirata-mor daqueles tempos, chegou até a saquear o país em 1590 a mando da tal Companhia das Índias Ocidentais. O saque durou sete anos e milhares e milhares de sementes foram plantadas. Tinham sacado a bunda.

Esta mistura deu a cor atual das nativas. Não são negras como as vizinhas senegalesas. São marrons. Ou castanhas, como preferem elas. E lindas. As cabo-verdianas são lindas. Uma espécie de **Sônia Braga** bem queimada. Olhos claros como dos piratas bisavós. Uma porção de Patrícia França.

S **Sônia**
1969
atriz
São Paulo
pág. 221

Fica difícil descrever a bunda das mulheres de Cabo Verde. Tem que ver, para crer. São Tomé não acreditaria em seus próprios olhos. Mas olhando uma delas passar, você percebe que ela está no doce balanço a caminho do mar (do Brasil).

Um dia estava com o Paulo, amigo português, cineasta, especialista em cinema africano, numa praça de Mindelo, a capital intelectual do país e das bundas (a capital do país chama-se Praia, pode?). Eis que passa, na nossa frente, uma bunda vestida com uma minissaia verde justa. Justíssima. Não tivemos dúvida. Seguimos a bunda por vários quarteirões, em homenageante silêncio, até que a bunda entrou numa casa e nós voltamos para a praça sem a necessidade de dizer nenhuma palavra um para o outro. Era uma obra-prima da natureza, aquela menina.

De noite, lá pelas duas da manhã, estou eu no meu hotel a dormir e batem na porta. Era o Paulo que havia ido a uma boate. Estava trêmulo, suado:

— *Vem, vem, lembras daquela bunda?*

— Estava sonhando com ela.

— *Veste, veste! Ela está na boate. A bunda está a dançar na boate!*

E lá fomos nós dois para a boate. Não só a nossa bunda de verde (agora num fulgurante amarelo) dançava, mas uma infinidade delas. Que espetáculo.

Só que, no princípio era o verbo e não a carne e, naquele tempo, na época do tráfico dos escravos, quando surgia a bunda no meio do Atlântico, qual ilha vulcânica, a bunda ainda não se chamava bunda. Como aliás, até hoje em Portugal não se chama. Bunda só no Brasil.

Mas foi na mesma África que fomos buscar a sonoríssima e mais do que adequada palavra bunda. Diz a lenda que a origem seria das danças dos africanos. Ficavam as mulheres dançando no meio e o crioléu em volta batendo tambor e fazendo som com a boca: bun-da!, bun-da! Mas isso é lenda. Na verdade, a palavra veio da língua quimbundo (kimbundu), da palavra *mbunda* (mbunda, tubundas, elebunda?), lá para os lados de Angola, local onde viviam os bantos, raça negra sul-africana à qual pertenciam, entre outros, os negros escravos chamados no Brasil angolas, cabindas, benguelas, congos, moçambiques.

Nós, brasileiros e cabo-verdianos, nascemos com a bunda virada para a lua.

PEDRO COMETTI, padre (Lins, 1960)

P

Eu tinha 14 anos e fazia o quarto ano ginasial.

Todo mundo jogando futebol e eu ali, de castigo. O tempo do castigo era indeterminado. A gente ficava ali até decorar uma poesia inteira. Foi assim que, até hoje, sei poemas inteiros de Castro Alves (*Deus, ó Deus, onde estás que não respondes, em que mundo em que estrelas tu te escondes, embuçado nos céus, há dois mil anos te lancei meu grito que, embalde, desde então corre o infinito?*) e o Hino Nacional inteiro, que muito me ajudou nas Copas de 94 e 98. Sabia inteirinho. Pois eu era: *Tertuliano, frívolo e peralta, que foi um paspalhão desde fedelho, tipo incapaz de ouvir um bom conselho, tipo que, morto, não faria falta.* Artur Azevedo puro.

Ele era baixinho, tinha um nariz de coruja e parecia muito velho para a minha adolescência.

Odiava aquela árvore, hoje a adoro. Outro dia mesmo fui até lá, em Lins, e me encostei nela. Disse o Tertuliano inteiro.

Ele dava aula de português. Sacou que eu tinha jeito para os escritos e me dava esse tipo de castigo. Queria matar aquele homem de batina preta e olhar profundo. Hoje, agradeço. O danado tinha bom gosto. *Das naus errantes quem sabe o rumo, se é tão grande o espaço?*

Tudo começou quando ele deu uma redação sobre o tema da moda, em 1960: a pena de morte, por causa do Caryl Chesmman. Eu já havia escrito umas 15 redações sobre este tema. Não tinha mais saco. Tinha que ter 30 linhas. Naquele época eles achavam que tudo tinha que ter 30 linhas. Mas eu escrevi:

Ao iniciar esta redação a caneta caiu no chão e quebrou a pena. Eta pena de morte!

Me deu zero, porque não completei as 30 linhas regulamentares. Mas sacou que eu tinha jeito para a coisa. E toma árvore no recreio.

E lá fui eu conviver — com os passarinhos fazendo cocô na minha cabeça — com os maiores poetas do mundo. De Castro Alves a Dante Alighieri.

Outro dia, já passando dos 50, me encontrei com ele num apartamento em São Paulo. Disse várias poesias daquele tempo para ele. E descobri, que o desgraçado não sabia nenhuma de cor.

Mas tomamos um uisquinho, frívolos e peraltas. Como nos bons tempos, onde uma árvore vagabunda valia por anos de universidade. Tempos para se formar uma amizade que vai até hoje.

Estamos em pleno mar, ao quente arfar das virações marinhas. Veleiro brigue corre à flor do mar, como roçam, nas águas, as andorinhas.

PEDRO K. SANT'ANNA, ator (Porto Alegre, 1999)

Ele abriu a mão e me mostrou.

— *Sabe o que é isso?*

— Viagra. Já?

— *Meu amigo, sexualmente falando, o homem, depois dos 50, quando conquista um buraco, não deve sair dele. Nada de sair de um buraco e tentar um outro. Pode ser fatal. Esmorece, entende?*

— É verdade. Se a coisa tá indo bem naquele buraco, conserve. Nada de muitas peripécias.

— *Camisinha, por exemplo. Não dá mais tempo pra parar e mesmo que a camisinha esteja preparada, colocar. O recuo é letal. Pois o Viagra, meu amigo, é a garantia da procura de outros buracos, até os mais inatingíveis. Viagra é paupacú. Sem calçadeira. O problema é o seguinte: eu estou precisando encontrar algum remédio com esse formato e essa cor.*

— Vai ser difícil.

— *É que eu descobri que lá nos Estados Unidos vende caixa com 50. Mandei um amigo trazer, mas o idiota mandou o empregado dele entregar e em vez do cara ir no meu escritório, levou para a minha casa e ainda disse para a minha mulher: os remédios do doutor Pedro.*

— Fudeu.

— Você não sabe a felicidade que ela ficou. Colocou no criado-mudo e agora, toda noite, tenho que tomar e comparecer. E o pior: ela conta, que é pra eu não roubar, entende? Então eu estou procurando um igualzinho pra colocar no vidrinho e dar umas voltas, está me entendendo?

PINK WAINER, artista plástica (São Paulo, 1974)

Quando ela voltou do exílio (do pai, **Samuel**) em Paris veio morar com ele. Não tinha nem 18 anos, mas corpinho de 23.

Ficamos amigos e um dia ela me disse:

— Tomei hoje uma resolução. Vou ter cinco filhos. Com cinco homens diferentes. E um, vai ser com você. O terceiro.

Confesso que já queria a posse naquele momento. Mas até hoje ela vem adiando esse filho. E o pior (ou melhor) é que continua com corpinho de 23.

Confesso ainda que, sempre que me encontro com ela, penso nisso.

S **Samuel**
1980
jornalista
São Paulo
pág. 212

PRATA, o primeiro (Uberaba, 1818)

Eram dois irmãos portugueses que foram de Itapecerica para Uberaba. Sobrenome: da Silva.

Arnaldo Rosa Prata, meu primo e ex-deputado, prefaciando o livro da filha Délia, conta a origem do sobrenome Prata:

Certa vez, percorrendo a cavalo a Fazenda do Buriti os dois irmãos, ao atravessarem o córrego denominado Lavapés, pararam no leito do mesmo, enquanto um deles, com a mão em concha e escachando sobre o arreio, bebia um pouco d'água. Nesta circunstância escapa-lhe da algibeira uma moeda de prata de 960 réis (patacão) que vai ao fundo lamacento do riacho. Em vão tentaram os dois irmãos encontrá-la passando o córrego a ser denominado "da Prata", tendo o apelido se estendido para toda a família.

Portanto, meu nome deveria ser Mario da Silva. Acho que não ia dar certo.

Q

Fernando | F
1998
escritor
Sorocaba
pág. 88

Ignácio | I
1999
escritor
São Paulo
pág. 104

QUÉRCIA, governador (São Paulo, 1990)

Quando eu fui trabalhar com o **Fernando Morais** na Secretaria da Cultura, o que eu ganhava era apenas para a pensão do Antonio e da Maria. Tive que vender o carro e mudar para um apartamento do Reinaldo Moraes, quase de graça. E o que todo mundo achava era que a gente tava mamando nas tetas do Estado.

Eu e o Fernando, pelo menos, não. Lá no Palácio a coisa era mais braba. Na publicidade, era uma bandeira.

Foi quando eu mudei de apartamento que achei uns recortes de jornais velhos. De quando eu tinha 16 anos e escrevia coluna social de Lins na *Última Hora* do Samuel Wainer. Além de descobrir que quem fechava a página era o **Ignácio de Loyola**, qual não foi a minha surpresa ao redescobrir que quem fazia a coluna social de Campinas era o nosso governador, então com 23 anos. Freqüentava a Hípica, o Tênis, enfim, a alta sociedade de Campinas.

Ele era candidato à presidência da república e a campanha fazia questão de enfatizar sua origem humilde, pobre, periférica.

Tirei um xerox e mostrei para o Fernando que morreu de rir. O Fernando levou para o governador, que apenas sorriu e pediu um encontro comigo.

Me lembro que ele era perfumado. Muito perfumado. Colocou a mão no meu ombro e ficamos andando pelos corredores da Pinacoteca do Estado. E, ele, governador, humilde, me explicava:

— *Sempre fui de esquerda. Mas é que o filho da puta do diretor da sucursal da* UH *lá em Campinas, sabendo das minhas preocupações sociais, com as pessoas menos favorecidas, com a pobreza, enfim, me coloca para fazer coluna social só pra me sacanear. O Samuel acabou demitindo ele.*

RAMIRO VIEIRA, radialista (Lins, 1953)

R

Num domingo ensolarado, lá em Lins, interior de São Paulo.

São Paulo Futebol Clube, "o mais querido", invicto há 23 partidas, líder absoluto da primeira divisão, foi jogar na minha cidade contra o Clube Atlético Linense, "o elefante da Noroeste", recém-promovido à elite do futebol paulista.

Foi então que o fato se deu.

O estádio (cognominado "O Gigante de Madeira") totalmente lotado. Gente da cidade e de toda a região. Chamaram o seu Ramiro, que tinha um fordinho e andava pela cidade fazendo reclames de lojas e armarinhos num possante alto-falante, para anunciar as duas equipes, momentos antes do jogo.

O juiz era o mais famoso e conhecido da época. Chamava-se Telêmaco Pompeu. Hoje, se não me engano, ele é juiz de lutas amadoras de boxe.

O que ninguém sabia e nem desconfiava era que o seu Ramiro (repentista e poeta nas horas vagas) não entendia nada de futebol, conforme vai se ver a seguir.

Antes de começar a partida, depois da banda tocar e os rojões estrugirem, entra a voz tonitruante e pausada dele, emocionada, firme.

— *São Paulo Futebol Clube: Poy, De Sordi e Mauro. Pé de Valsa, Bauer e Alfredo. Maurinho, Albeja, Gino, Lanzoninho e Canhoteiro. Clube Atlético Linense: Herrera, Ruy e Noca. Geraldo, Frangão e Ivan. Alfredinho, Américo, Washington, Próspero e Alemãozinho.*

Até aí tudo bem. Mas quando ele foi anunciar o juiz Telêmaco Pompeu que tudo se deu:

— *Será juiz da contenda o senhor Telemáco Pompeu.*

Aquele Telemáco fez o estádio vir abaixo. Alguém deu o toque para ele que era Telêmaco e não Telemáco. Ele não teve dúvidas e voltou todo solene, para novo e definitivo tropeção:

— *Retífico...*

R

REALI JR, jornalista (Paris, 1998)

Entre os telefones que poderiam me ser úteis em Paris, na cobertura da Copa, numa folha de papel, estava o do Reali Jr.

— Qualquer problema em Paris, liga para o Reali. Tá lá há 25 anos, sabe tudo de Paris. Além de ser uma figura adorável.

Enquanto pude e não precisei, não procurei. Mesmo porque não o conhecia e nem sabia se ele me conhecia. Acontece que, um dia, eu precisei, desesperadamente, dele. Quando eu expliquei o meu problema, ele não acreditou. Mas o caso saía dos meus pés e caía nas mãos dele.

Foi o seguinte. Quase toda a torcida hospedada no Meridien-Etoile ficou gripada logo que chegamos. Menos eu. Mas peguei frieira. Da braba.

Partindo do princípio que desodorante tem álcool, comecei o meu tratamento por ali. Não, o desodorante não era francês. Não deu muito certo. A coisa progredia.

Meu francês — foi nos primeiros dias — ainda era aquele do ginásio. Mas tinha um livrinho com as frases todas. Aquele com as pronúncias e tudo. Estudei muito bem estudado e fui para a farmácia.

Depois de dois *savá?* e um *trébian*, tomei coragem:

— Jé çui malad! Mõ piê. Mõ mêdikamã, çil vu plé.

A mocinha me olhou, deve ter achado que eu era belga — pelo sotaque — olhou para os meus pés e falou uma frase imensa que, absolutamente, não estava nos meus planos. Ela falou fazendo um movimento ritmado com os dedos perto do narizinho francês. É, ela achava que eu estava com chulé, que deve ser uma palavra francesa. Não apenas pela pronúncia.

Aquilo não ia dar certo. Eu ainda tentei:

— Fri-eeeei-ra! (depois em francês, acentuando o *a* final:) *frieirá!*

Ela trouxe uma meia elástica, pois deve ter achado que eu estava com frio nos pés. Agradeci em latim e fui embora, a procurar outra farmácia com uma mocinha mais culta.

Na segunda farmácia, me venderam um cortador de unhas, um curativo para calos, duas lixas e um pozinho que eu presumi, fosse para chulé.

A coisa tava feia, sem as meias da **vovó Maria**. Queimava. Carne-viva. No meu Larousse de bolso, nada de frieira. Nem a Magdala, da Stella Barros, sabia como era frieira em francês.

Dia seguinte tinha jogo em Nantes. Ia ter que andar e muito.

Foi quando me lembrei do Reali. Liguei, ele mesmo atendeu.

Nos apresentamos, um ficou levantando a bola do outro, os dois ficaram reclamando que estávamos trabalhando demais, os dois concordaram que o Brasil não ia longe e foi chegando a hora deu entrar no assunto. Os preâmbulos todos já estavam esgotados.

Expliquei o meu problema, totalmente sem jeito. Houve um silêncio profundo, penalizado e respeitoso do lado de lá de Paris. Quase achei que tinha caído a linha. Ele:

— *Estava pensando aqui, sabe que eu nunca soube de um caso de frieira em Paris? Acho que francês não tem frieira, não. Primeiro Mundo tem essas vantagens.*

— Então a frieira é brasileira mesmo. Trouxe ela de avião. Trata-se de uma frieira de primeira classe, executiva. Talvez um bom banho de imersão dos pés em vinho branco francês.

O Reali disse, então, que lembrou lá de um superlarousse que tinha tudo. Mas ele achava muito difícil ter frieira. Duvido, foi a última palavra dele antes de sair do ar. Deu um tempo, voltou e eu escutava ele virando as páginas, com pressa, sabendo que a minha frieira não podia esperar em pé.

— *Tem!!! É incrível, tem! Veja você, há 25 anos na França e nunca soube que frieira é* engelure.

— *Engelure?*

Ele corrigiu a minha pronúncia, desejou boa sorte, bom trabalho e marcamos um delicioso almoço para o dia seguinte. Meu pé ia ficar bom, é claro.

No dicionário dele tinha frieira. Eu tinha frieira, mas na farmácia não tinha remédio pra frieira. Definitivamente, francês não tem frieira.

Dias depois, contra o Brasil, provariam que não têm frieira, mas têm uma bruta e solidária frieza. E, contra ela, um só Valium não valeu nada.

R

V

vovó Maria
1999
aposentada
Paraíso
pág. 238

R

Samir | S
1972
professor
São Paulo
pág. 211

REGINA VIEIRA, terapeuta corporal (São Paulo, 1999)

E que corpo! E que olhos. Cinqüenta anos, corpinho de trinta. Era mulher do **Samir Meserani** no começo dos anos 70.

Me encontrei com ela, ontem. Continua uma grande contadora de casos. É ótimo perguntar para a Regina sobre nossas amigas e amigos de quase 30 anos atrás. Aquelas pessoas que a gente nunca mais viu.

Perguntei de várias. O jeito dela narrar é que devia sensibilizar o Samir naquela época. Sobre uma das nossas amigas de então:

— *É avó, menino* — menino, sou eu —, *e continua alcoólatra. Fez um quarto para a netinha na casa dela. Na prateleira, uma boneca, uma garrafa, uma boneca, uma garrafa.*

E ela fica lá, fazendo a netinha dormir, contando histórias:

— Essa boneca bebe uísque (e toma um gole). Essa outra aqui toma conhaque, olha a cara de quem gosta de conhaque, bem. Essa outra o que você acha que ela toma?

— Cassassa, vó.

Ficam ali, as duas. Até dormir. Uma delas.

REINALDO MORAES, escritor (São Paulo, 1994)

Ele estava escrevendo uma matéria para a Maria Ignês, lá da *Criativa*, quando pifou o computador. E, como sempre, ele estava atrasado. Computador parado, terminou à mão e correu para ir digitar lá na Cia. das Letras, onde a mulher dele, a Marta Garcia, trabalha.

A matéria — ficou excelente, por sinal — era do tipo "gorda também gosta".

Ao digitar o que tinha escrito à mão, percebeu que tinha calculado errado. Faltavam 2.500 toques. Uma página, mais ou menos. Ele não teve dúvida: aproveitou que eu e o Mateus estávamos em São Francisco cobrindo a Copa para o *Estadão* e, a partir absolutamente do nada, criou declarações nossas.

A revista deve ter vendido muito, pois assim que chegamos teve uma festa para o pessoal que cobrira a Copa e eu e o Mateus — sem sabermos de nada — fomos assediadíssimos por todas as gordinhas da redação. É, a revista já havia saído.

Vejam o que o adorável calhorda escreveu com seu texto sempre mais que perfeito:

Dois exemplos de homens que se encaixam nesta afirmação são os escritores e jornalistas Mario Prata e Matthew Shirts.

Matthew, norte-americano radicado no Brasil há mais de dez anos, confessa com a veia humorística a toda:

— Sempre achei a maior graça nas gordinhas. Para começar, elas são mais expansivas e alegres que as magras e topam qualquer parada. Nunca conheci uma gorda que impusesse restrições ao imaginário erótico de um homem — no caso, eu mesmo. É claro, desde que você não proponha nada de acrobático demais, como saltar de cima do guarda-roupa.

Já Mario Prata, explica:

— O melhor das gordinhas é que elas são magras, se me permitem a redundância. São macias e extremamente sensíveis às carícias eróticas. Não há nada mais reconfortante, depois de uma boa transada com uma moça de "peso", que tirar uma soneca aninhado em seu corpo. Me sinto dentro de uma incubadeira sensual e maternal.

Outra observação curiosa do americano Shirts diz respeito a certas características anatômicas das mulheres gordas, especialmente as brasileiras:

— Nos Estados Unidos você dificilmente encontra mulheres, mesmo gordas, com nádegas avantajadas. No Brasil isso é quase corriqueiro. A verdade é que uma gordinha de bumbum proeminente me deixa bastante perturbado, no bom sentido. Talvez esteja aí um dos principais motivos que me levaram a trocar os States pela pátria do futebol e do bumbum.

Mario Prata, embora participe do mesmo entusiasmo de Shirts por bumbuns de gordinhas — "Quem em sã consciência não gosta?" — é um confesso admirador de seios grandes:

— Rotundos, imensos, salientes, alimentadores do corpo e da alma. Bem no estilo Playboy *mesmo. Uma das namoradas com quem tive melhor relacionamento erótico era*

R

justamente uma simpaticíssima gordinha de seios fartos. É uma pessoa muito conhecida, por isso não posso dizer seu nome. E digo mais: seio de gordinha não precisa ser empinado como um papagaio. É o volume e a consistência que contam mais.

A sutileza das gordinhas é outro "ponto de venda" dessas mulheres, na opinião de Matthew Shirts:

— São, em geral delicadas, pelo menos as que eu conheci, nada vorazes, nem com alimentos nem com sentimentos. Elas sabem envolver um homem com ondas sutis e benfazejas da mais pura sensualidade. Já vi magras muito mais devoradoras. A gorda sexualmente realizada é um dos seres mais calmos do planeta.

Mario Prata reverbera a mesma opinião:

— Amor de gordinha engorda o coração da gente. Posso estar errado, mas acho que são as que melhor conhecem o valor e a natureza dos sentimentos.

RENATA KUPIDLOVISKI, modelo (São Paulo, 1997)

OI MARIO!

AQUI ESTOU, NA FRENTE DO SEU COMPUTADOR, DANDO UMA DE FODONA. ESCREVENDO PRA VOCE.

ACABEI DE CHEGAR EM CASA. MEU CASTING FOI UMA DROGA, MAS TUDO BEM. TOMEI UM BANHO. ESTAVA A TOA E, DE REPENTE, ME DEU UMA SAUDADE, UMA VONTADE DE CONVERSAR COM VOCE... MAS, VOCE NAO ESTA AQUI. DEVE ESTAR NA ESTRADA, VOLTANDO PRA CASA. FOI ENTAO QUE EU TIVE ESTA BRILHANTE IDEIA DE TE ESCREVER. IMAGINA!

COMO A VIDA E MISTERIOSA. NO FINAL DE OUTUBRO, LA VOU EU PARA UM SPA EM SOROCABA, PARA LUTAR COM A BALANCA. DURANTE A VIAGEM FUI PENSANDO QUE IA SER HORRIVEL, UM BANDO DE GORDOS FRUSTRADOS E CHATOS. PENSEI QUE NAO CONHECERIA NINGUEM INTERESSANTE E QUE PASSARIA OS MEUS DEZ DIAS ALONE.

EIS QUE NO MEU SEGUNDO DIA, SURGE VOCE. TODO SIMPATICO, PUXANDO PAPO E EU, NUM MAU HUMOR DO CAO POIS ACABARA DE BRIGAR COM O MEU PAI.

DEPOIS A GENTE FOI CONVERSANDO, JOGANDO DICIONARIO, FUMANDO UNZINHO (GOLPE BAIIIIXO). VOCE ME DEU SEU LIVRO. LI, DEI MINHA OPINIAO E VOCE RESOLVEU IR EMBORA SEM AO MENOS DIZER TCHAU. FIQUEI PUTA!

NO OUTRO DIA VOCE LIGA E DIZ QUE ESTA COM SAUDADES E QUE FOI EMBORA PARA NAO FAZER BESTEIRA. TENHO UMA COISA PARA CONFESSAR: ATE ENTAO, EU NAO TINHA SACADO AS SUAS QUINTAS INTENCOES. NAQUELE MOMENTO, CONFESSO QUE FIQUEI BASTANTE LISONJEADA. QUERIA VOLTAR LOGO PRA SAO PAULO. QUERIA ENCONTRAR NOVAMENTE, CONVERSAR, CONHECER MELHOR.

NO FUNDO EU SABIA QUE NAO DEVIA TE CONHECER MELHOR PORQUE ERA MUITO ARRISCADO. A AMOSTRA QUE EU TINHA TIDO ERA EXTREMAMENTE SEDUTORA. MEU PROBLEMA E QUE EU GOSTO DE VIVER PERIGOSAMENTE. LA FUI EU E, COMO PREVIA, NAO CONSEGUI RESISTIR.

HA TANTAS COISAS QUE EU GOSTO EM VOCE. MAS O QUE MAIS ME ENCANTA E O JEITO DOCE COMO VOCE ME TRATA. GOSTO DE FICAR AO SEU LADO, DE CONVERSAR COM VOCE, DE RIR. GOSTO DE PODER APRENDER COM VOCE. GOSTO DO JEITO COMO VOCE SE PREOCUPA COMIGO, DO JEITO COMO ME ENSINA, DO JEITO COMO CUIDA DE MIM.

NO COMECO EU ME SENTIA MEIO ACUADA. FICAVA PENSANDO NO QUE VOCE TINHA VISTO EM MIM. FICAVA MEIO SEM GRACA, COM MEDO DE SOLTAR ALGUMA BESTEIRA. COM O PASSAR DO TEMPO FUI VENDO QUE ESTAVA SENDO UMA BOBA. QUE NAO ERA MAIS SO PELO FISICO O SEU INTERESSE (UMA VEZ VOCE DISSE QUE NAO CONSEGUIA FICAR CONVERSANDO COM UMA

R

PESSOA BURRA POR 5 MIN). A PARTIR DE ENTAO RELAXEI...

GOSTO MUITO DE COMO A GENTE SE ENTENDE. GOSTEI DE FICAR ESTA SEMANA AQUI COM VOCE. E O QUE MAIS GOSTEI FOI CONHECER O MARIO NAO-ETILICO. MUITO MELHOR! FOI UM GOLPE SUJO PORQUE, AGORA, AS SUAS QUALIDADES ESTAO INFINITAMENTE MAIORES QUE OS DEFEITOS.

NO FIM DE SEMANA VOU PARA A MINHA CASA. SOU ASSIM. GOSTO DO MEU CANTO. DE FICAR SOZINHA. MAS SEMPRE ESTAREI POR PERTO. ACHO MELHOR ASSIM. ME CONHECO. AGINDO ASSIM ESTAREI PRESERVANDO O RELACIONAMENTO. NAO E QUE EU SEJA VOLUVEL, MAS TENHO MEDO DE ROTINA. SE AS COISAS FOREM MUITO A FUNDO RAPIDO DEMAIS EU NAO SEGURO, NAO DOU VALOR, MEIO QUE ENJOO.

ENTAO E ISSO. ESCREVI. ESPERO QUE GOSTE. VAI ME CONHECER MELHOR. TUDO QUE FOI DITO VEIO DO FUNDO DA ALMA. ME ABRI INTEIRA PARA VOCE.

BEIJOS............................

RICARDO PRATA SOARES, estudante (São Paulo, 1969)

Dado D
1969
estudante
São Paulo
pág. 63

O **Dado** e o Luiz Carlos nunca souberam disso enquanto a gente morou junto lá na Paim.

De tarde, quando eu estava no Banco e os dois na Santa Casa, o Ricardo — meu primo, irmão da **Madalena** — e a turma dele, usavam o nosso apartamento para reuniões. Aquilo virava um aparelho.

Madalena M
1971
estudante
São Paulo
pág. 153

Lá se decidiram ações. Quando eu chegava, no fim da tarde, não tinha mais ninguém. Além dos cinzeiros cheios de cigarros, papéis rasgados. Papéis usados nas reuniões, onde eles escreviam os planos.

Todo dia eu chegava, pegava aqueles papeizinhos e ficava horas até reconstituir tudo e ler. Eu me sentia um privilegiado. Sempre soube, de antemão, daquelas ações.

Cagão que era, nunca participei de nenhuma. Mas como torcia!

R

RITA PRATA DE LIMA BARBOSA, decoradora (São Paulo, 1966)

Minha mãe me fez um enxoval completo. Afinal, o filho estava se mudando para São Paulo, para tomar posse no Banco do Brasil! E procurar a **Cristina**. Uma mala grande, com tudo. De escova de dentes a uma calça de veludo cotelê cinza.

C **Cristina** 1970 do SESC São Paulo **pág. 61**

Cheguei na rodoviária, ainda com o conselho do meu pai, na rodoviária de Lins:

— Meu filho, em 1932, quando eu embarquei de trem para ir estudar Medicina no Rio de Janeiro, o meu pai me deu um conselho, lá na velha estação da Mogiana. Hoje, que você está se mudando para São Paulo, vou te dar o mesmo conselho. E tenho certeza que, um dia, você vai dizer isso ao seu filho. Meu filho: tesão contida é tesão perdida! Vai, meu filho, vai com Deus!

Peguei um táxi e fui para a casa da Rita, minha irmã mais velha que, naquele dia, estava embarcando com o Zé Eduardo para o Alabama para ficar dois anos. O táxi me deixou ali na Haddock Lobo, onde hoje é uma cantina do Piero.

Eu estava nervoso, mudando de vida. Tão nervoso que esqueci a mala no porta-malas do táxi.

Foi assim que eu cheguei em São Paulo. Com a roupa do corpo, mas cheio de tesão.

ROBERTA, dentista (Sorocaba, 1998)

Não que eu estivesse ali esperando que ela passasse por mim e eu

num impulso

esticasse o braço e acenasse.

Pedisse.

Não que ela estivesse escondida atrás da igreja

fazendo um percurso mais longo

mas mais seguro.

Negasse.

Mas era um caminho que não a obrigava a passar na minha frente.

Não que eu fosse pensar que

R

caso ela passasse na frente da minha varanda
ela queria.
Muito embora eu não soubesse o que ela queria.
Mas ela desconfiava do que eu queria.
E, cá entre nós
eu também desconfiava do que ela queria.
Os dois somos loucos.
Internos.
Diziam para nós que ali era um condomínio.
Mas nós sabíamos
os dois
que ali não era um condomínio.
E sabíamos
também
que ninguém fica à toa numa varanda
exposto.
E que ninguém fica à toa atrás da igreja
se escondendo.
Ficar atrás da igreja significa ir à procura da igreja?
Proteção?
Mas
além de uma varanda e uma igreja
qual era a loucura de cada um de nós?
Isso era tudo que eu queria saber dela.
Por que ela estava atrás da igreja.
Isso era tudo que ela queria saber de mim.
Por que estava na frente da varanda
me expondo tanto?
Ela câncer
eu pneumonia.
Eu aquário
ela gata ouvindo peixinhos sertanejos.
Treze livros
quarto treze.
No quarto
ela se perguntava o mesmo que eu:
o que é que eu estou fazendo aqui?

R

O que é que essa loucura quer comigo?
O que é que eu não quero com essa loucura?
Os loucos.
Nem a diferença de idade
nem a diferença de loucura
fazia com que um ignorasse o outro.
Um na varanda.
A outra atrás da igreja.
Onde é que esses dois doidos vão se encontrar?
Na varanda?
Atrás da igreja?
E se a igreja tivesse uma varanda?
E se a varanda tivesse um altar?
Os loucos têm medo.
Um do outro.
O da varanda finge que não tem.
Mas eu sei que tenho.
Ela também tem e sabe que eu tenho.
Medo.
Adoro o jogo desses dois lindos doidos.

ROBERTO LAGE, diretor de teatro (São Paulo, 1982)

Eu estava no quarto da Silvana, na maravilhosa casa dos pais dela — Guido e Ilka — no Morumbi. Claro que os dois, que dormiam, não sabiam que eu estava ali, na cama de solteiro dela, recostado num ursinho de pelúcia.

Era verão, a noite estava linda e a lua imensa. A janela estava aberta e, de repente a gente viu um elemento — ladrão? — andando no muro, de gatinhas. Só podia ser ladrão. Mas como acordar os pais dela, como chamar a polícia, se a minha presença ali ia dar o maior rolo?

Ficamos observando o vulto para ver se ele ia entrar na casa dela ou no vizinho.

Num felino salto ele pulou para a janela da irmã Cris Rando que, qual Desdêmona, dormia inocente. Que a gente achava que dormia. A janela dela estava aberta, esperando o gato.

R

ROSA GAÚCHA, cronista social (Sorocaba, 1998)

Gordinhos, gordinhas, estressados e estressadas, quando se dirigem ao spa São Pedro em Sorocaba sempre dão uma paradinha no Tigrão. Tigrão é um posto, do lado direito de quem vai. Restaurante farto, bebidas visíveis, colesterol à vista e a prazo. É ali que eles e elas entram e se enchem, prevendo as futuras 300 calorias, as cetoses e as boboses que se avizinham. É ali que elas e eles se reabastecem, enchem o tanque e pedem perdão a São Pedro.

Foi ali que o fato se deu. E eu, como sempre, estava lá.

Ela, além de viciada em comida, era viciada em spa. Lá ia ela, dia desses. Tigrão. Ela estava de licença no spa. Depois de um mês, tivera dois dias em São Paulo. Estava voltando. Já havia emagrecido dez quilos. Já era bastante, pra quem precisava ainda perder uns 30.

Ela encheu a cara e a barriga e ainda pegou uns bis para matar nos quilômetros finais. Foi quando se dirigia para o caixa que ela ouviu. Ouviu nitidamente. O assovio. Aquele que os homens fazem quando passa uma mulher gostosa. Fiu-fiiiiu. Estática, seu olho girou 180 graus. Não havia dúvida. A coisa era com ela.

Aquilo foi uma injeção de cinco mil calorias no ego dela, no superego e até no *alter ego*. Há quanto tempo ela não sentia aquela sensação de tesão subindo pelo seu corpo num frenesi? Vinte e cinco anos? Mais? Ficou ali, estática, parada no contrapé da felicidade. Tentou dar um passo e, de novo, o assovio. Ela precisava ver quem era, senão não tinha graça. Virou-se graciosamente, com o maior charme possível que a sua cinturinha permitia. Olhou em volta. Nada. Onde estava o galanteador?

Deu mais um passo. Fiu-fiiiiiu, de novo. Foi andando na direção de um macaco-boneco de uns 30 centímetros. Quanto mais ela se aproximava, mais o macaco assoviava. Era o macaco seu amante já imaginário e com milhares de planos e sacanagens na cabeça.

Era isso. Um boneco. A primeira idéia foi pegar o macaco, arrancar a pilha dele, jogar no chão, pisar seus gordinhos pés em cima dele. Mas resolveu esquecer. Afinal, ninguém havia notado seus 15 segundos de fama. Cabeça e estima baixas, já estava no carro quando resolveu voltar. Comprou o macaco.

Na estrada, depois de dar o nome de Castanho ao macaco e ficar passando a mão na frente da boca dele para ouvir, ia feliz. A pilha era duracel, ia durar muito.

No spa, instalou o Castanho em cima da televisão, numa posição estrategicamente estimulante. Ia ao banheiro, o macaco Castanho assoviava. Voltava, fiu-fiiiiiu. Levantava, tava lá. Seu cooper dentro do quarto passou a ser todo dedicado ao Castanho. Já sabia a que distância tinha que se aproximar para provocar a libido do macaquinho.

De noite, quebrou a solidão com um maravilhoso *strip-tease* para ele. Só para ele. O Castanho não dizia nada, nem mexia os olhinhos, ouvindo "Summertime". Só assoviava. Cada peça de roupa tirada era jogada na direção do bichinho. O bichinho não falhava. Ela foi se entusiasmando e, nua, fez coisas que não fazia há muito, mas muito tempo mesmo.

A notícia do macaco Castanho logo tomou conta do spa. Gordinhas (e até uma bicha gordinha) queriam comprar o levantador de baixa estima. Pensou-se em aluguel, em rodízio, em consignação. Mas ela não abria mão. Chegaram a oferecer dois bagos de uva e dois palitinhos de cenoura pelo uso e abuso do animal. Mas ela queria o danado só para ela.

Foi quando a doutora Aída, psicóloga do local, conseguiu convencer nossa heroína — sabe-se lá como — de que o Castanho era fundamental para o spa. Que ela deveria dividir seu prazer com as colegas de polegadas a mais. Ela concordou, mas com uma condição. Tudo bem, mas só uma vez por semana e tinha que ser coletivo.

O dia escolhido foi domingo à noite. Ela colocou seu amado amante em cima do balcão do bar do restaurante e foi então que começou a orgia. Todas as gordinhas entravam — muito bem vestidas, algumas decotadíssimas — e iam pra frente do balcão.

R

Fellini morreu sem imaginar a cena. Calígula morreria de inveja. Uma a uma e depois duas a duas, três a três, desfilavam seu corpo diante do Castanho, que parecia entender o coração de cada uma delas. E não negava fogo.

Depois de umas duas horas daquela desenfreada sacanagem, o assovio foi ficando fraco, fraco. A pilha está acabando! Minha ceia por uma pilha! Meu almoço por uma pilha!, gritou uma. Dou cinco sobremesas por uma pilha! Mas era domingo de noite, não tinha pilha. Trinta gordinhas (e a bichinha), amontoadas e ajoelhadas pediam para Castanho não parar, pelo amor de Deus.

Mas o macaco Castanho estava cansado. Não estava programado para tantas e boas meninas.

Mesmo assim o spa dormiu feliz sabendo que, no dia seguinte, ia ter mais pilha.

RUBEM BRAGA, cronista (São Paulo, 1980)

Foi a única vez que eu estive com ele.

Junto com o Samuel Wainer. Fomos tomar umas no Pirandello, o bar do **Maschio** e do Wladimir.

Antônio A
1981
ator
São Paulo
pág. 31

O Samuel estava tentando fazer a cabeça do Rubem Braga para ele escrever crônicas na *Folha*.

Na parede do Pirandello, logo na entrada, tinha uma porção de espelhos. Pra se ver e vender. Entra uma mulher horrorosa. O Rubem Braga observa a moça se olhando num dos espelhos e comenta entre as suas sobrancelhas:

— *Os espelhos deveriam refletir melhor, antes de refletirem certas imagens.*

Ali, diante de mim, meu ídolo, o cronista por quem toda a minha geração babava, criando esse tipo de frase. Não tive dúvidas, pedi desculpas pela tietagem, estendi guardanapo e caneta. Ele escreveu a frase, assinou embaixo e colocou a data.

Vinícius V
1972
poeta e
diplomata
São Paulo
pág. 237

O assunto ali era comum aos três. Os três queriam ser cremados depois de mortos. O Rubem contou que, meses depois de enterrado, descobriram um papel do **Vinícius de Moraes** onde ele pedia para ser cremado.

Poucos meses depois o Samuel estaria morto e cremado.

Mas, naquela noite, ao deixarmos o velho Braga no Othon, ele pegou no meu braço e disse:

— Olha, aquela frase, acho que não é minha, não. Deve ser de algum francês que eu traduzi. Valéry, talvez. Dá uma pesquisadinha. Se não, é minha mesmo. Muito boa, por sinal.

RUBEM FONSECA, escritor (Rio, 1973)

— *Você não quer casar com a minha filha?*

Disse ele, depois do décimo chope.

Todo fim de tarde nós dois ficávamos ali, num bar chamado Caneco 70, no Leblon. Tomando chope e falando besteira. Vendo as cariocas passando a caminho do bar. Da parte física das mulheres, ele se ligava nos braços. É tarado por braço, o gênio.

A gente era vizinho. Eu morava com a Leá Maria, a dois quarteirões e o bar era na frente do prédio dele. Na nossa frente o mar e, se esticasse bem o pescoço e os chopes, a gente via a África. No mar, ele, orgulhoso, mostrava o filho (que depois se casaria com a **Silvinha Buarque**) surfando.

— Como é que é?

— *Casar com a Bia.*

— Mas eu estou casado, Zé Rubem.

— *Mas você mesmo disse que a coisa tá por um fio. Você me disse que tem ido dormir todo dia na rede da casa do* ***Aderbal****...*

— É...

— *Inteligentíssima, a minha filha. Acaba de entrar em primeiro lugar na Psicologia.*

— Mas por que você quer que eu me case com a sua filha?

— *Procê me dar um neto. Já pensou? Filho seu, neto meu? Vai escrever bem pra caralho.*

Vinte anos depois, encontro com a Bia na posse do Fernando Henrique (a primeira da série), em Brasília. Conto a história do nosso filho para ela. Rimos muito.

S **Silvinha**
1973
atriz
Rio
pág. 219

A **Aderbal**
1973
diretor de teatro
Rio
pág. 20

— Só que eu não entrei em primeiro lugar na faculdade.

— Tá vendo? Se tivesse entrado a gente tinha tido um filho: Zé Rubem Fonseca Prata.

RUTH CARDOSO, primeira-dama (São Paulo, 1999)

Me encontro com a mãe do Paulinho Henrique no Balcão e vou dar um beijo nela e ela me diz:

— *Ah, bom! Pensei que, depois que saiu na* Caras, *não me conhecesse mais.*

Pode?

RUY AFFONSO, ator (São Paulo, 1966)

Eu tinha acabado de chegar em São Paulo, completamente inocente, puro e besta. Trazia umas crônicas debaixo do braço. O primeiro intelectual que conheci aqui, foi o Ruy Affonso. Era famoso, tinha *Os Jograis*.

Acho que foi o Soulié quem me apresentou, no Barbazul, na São Luiz. Durante muito tempo andei ali pela galeria Metrópole com ele. Queria publicar as minhas coisas e ele era o caminho.

Vendo a coisa de hoje, eu acho que todo mundo, naquela época, aquele pessoal todo do Ponto de Encontro, do Juão Sebastião Bar, devia achar que eu era o menino dele. Cheguei até a apresentar a minha mãe para ele. Que ainda agradeceu:

— Quero agradecer o que você vem fazendo pelo meu filho.

Um dia, ele me levou para jantar na Bayuca. Aquilo, pra mim, bancário lá da Penha, era o máximo. Fiquei desbundado com o lugar, com tudo, até com os talheres. Geraldo Cunha tocava seu violão. Ao vivo! Aquilo era demais pra mim.

Foi quando ele me deu uma rosa vermelha e me convidou para ir para o Japão. Tudo pago. E pegou na minha mão.

Foi um dos três murros que eu dei na minha vida.

Depois acabamos ficando amigos. Mas não conheci o Japão, não.

RUY GUERRA, cineasta (Havana, 1989)

Foi numa mesa de bar, onde estava também **Gabriel García Márquez** que ele contou.

Estava morando em Madri, vindo de Moçambique, tentando fazer uns filmes, duro, muito duro.

Ele e um amigo viram um anúncio de jornal, de uma mulher procurando rapazes para fazer segurança. Ele achou que era se rebaixar demais ser segurança de uma espanhola. Ainda por cima chamada Lavínia.

Esqueceu aquilo.

Meses depois, encontrou-se com o amigo, agora segurança da Ava Lavínia Gardner. Ou, pra quem conhece, Ava Gardner. Aquela mesmo.

R

G **Gabriel**
1989
escritor
Havana
pág. 92

S

Serginho S
1974
ator
São Paulo
pág. 214

S. M. (São Paulo, 1989)

Estava sentado eu, ela, outra senhora e 27 misses estaduais. Toda aquela fileira, para assistir *Drácula*, era de convidados. O **Serginho Mamberti** tinha deixado o convite para mim na portaria.

Quando chegou para se sentar, eu, gentilmente, me levantei para ela passar roçando os joelhos nos meus. Me agradeceu balançando levemente a sobrancelha. Tinha uma tiara na testa. Uma mulher bonita, muito bonita. Uns 60 anos.

Eu tinha certeza que conhecia de algum lugar. Considerando aquele monte de misses, devia ser do tempo que eu escrevi *Estúpido Cupido* e fiquei conhecendo essas mulheres que cuidam de misses. E de mães de misses. Madame alguma coisa.

As luzes se apagaram e ela encostou o joelho no meu. Não era sem querer, analisei. Eu recuei um pouco para a esquerda. O dela foi junto. Não era um mau joelho, devo reconhecer.

A peça, *Drácula*, tinha uns sustos. Num desses sustos ela segurou na minha mão com um sorriso entre medo e prazer. Mas foi uma coisa rápida, já que eu não estava a fim daquela mulher, apesar daqueles belíssimos seios que me pareciam firmes.

Quando terminou o espetáculo fui até o camarim agradecer ao Serginho. Eu, todas as misses e ela. O Serginho me convidou para ir com todas aquelas meninas para um jantar numa boate. Ela estava conversando com o Raul Cortez, o Drácula, me olhando insistentemente. Noto que ela fala com o Raul de mim. O Raul vem até onde eu estou:

— Ela quer que você venha jantar conosco.

Olhei e ela me deu um sorriso. Velha galinha, pensei.

— Raul, você trocaria essas 27 misses de 20 anos por ela?

— Você é quem sabe.

Quando fui embora, ainda vi ela sendo fotografada junto com o Raul.

Dois dias depois, a foto estava na coluna social da *Folha*, com a seguinte legenda:

Prestigiando Raul Cortez, a atriz Sarita Montiel, La Violetera.

Nunca vou me perdoar. Pelo menos pra currículo, porra!

SÁBATO MAGALDI, escritor (São Paulo, 1970)

Ia estrear a minha primeira peça, *Cordão Umbilical*, e eu fui até a casa dele para dar uma entrevista para o *Estadão*.

Eu estava nervoso. Ele era (e continua sendo) o nosso principal crítico de teatro. Me lembro até que levei um esporro dele porque nunca tinha lido Pirandello. Ele escreveria, depois, na crítica do *Jornal da Tarde*: "o enorme talento não supre o analfabetismo".

Vinte e tantos anos depois, já amigo dele:

— *Lembra quando você foi na minha casa? Quando a gente se conheceu?*

— Claro!

— *Quando você saiu, eu disse para a minha mulher. Mais um autor de teatro, bicha!*

— Eu? Dondé que você tirou isso?

— *É que eu tinha um cachorro que só pulava no colo das bichas. E, naquele dia, ele não saiu do seu colo. Lembra?*

— Lembro, não, cara! Lembro, não!

SAMIR CURI MESERANI, professor (São Paulo, 1972)

Qual é o bom escritor que nunca passou por uma sala de aula (ou seria melhor dizer sala de reunião) com o grande mestre da Criatividade? Quem é — que se interessa pela escrita — que nunca leu um livro dele?

Fora das aulas, era mais criativo ainda. De uma rapidez de raciocínio invejável.

Estávamos um dia no Carreta comendo a tal da pizza na pedra quando, já de madrugada, entra o **Toquinho** com a Valéria. O Toquinho estava fazendo um show. Ele, o **Vinícius de Moraes** e, nunca entendi direito, a Valéria. A Valéria era travesti. Linda, gostosa mesmo. Bem, entram os dois e reforçam nossa mesa.

T **Toquinho**
1971
compositor
São Paulo
pág. 233

V **Vinícius**
1972
poeta e
diplomata
São Paulo
pág. 237

S

A Valéria chamava a atenção. O Samir começou a olhar mais que o devido para ela. O Toquinho deu um toque:

— Qualé, Samir?

— Fica tranqüilo, Toco. Mulher de amigo meu, pra mim, é homem!

SAMUEL WAINER, jornalista (São Paulo, 1980)

No dia 31 de agosto de 1980, domingo, o Samuel comeu uma dinamarquesa. Sei disso porque no dia seguinte ele morreria.

Cheguei em casa e havia um recado dele na secretária, com sua inconfundível voz: "me liguem". O plural se referia também à minha mulher **Marta Góes** que estava gravando as memórias dele. Na véspera, ela havia escrito numa espécie de diário particular que fazia das entrevistas: ele está cansado e com pressa de terminar seu depoimento.

Marta M
1974
jornalista
e escritora
Araraquara
pág. 168

E, dois dias antes, ele confessaria para nós dois, que não havia mesmo nascido no Brasil em 1913. Tinha nascido era na Bessarábia, como afirmava seu arquiinimigo Lacerda. A Marta queria colocar isso no livro de memórias.

— Não posso fazer isso porque, na época da briga com o Lacerda, os amigos fizeram um abaixo-assinado afirmando que eu nasci em São Paulo, na rua da Glória. E alguns ainda estão vivos. Seria muita sacanagem minha. Depois que eu morrer, se vocês quiserem, publiquem isso em algum lugar.

Ligamos. Era o seguinte: ele estava recebendo uma jornalista dinamarquesa que estava de passagem por São Paulo a caminho de Buenos Aires para entrevistar o Borges, mais uma vez indicado para o Nobel que nunca recebeu. E o Samuel, sei lá por que cargas d'água, resolveu levar a dinamarquesa para assistir a um show do Adoniran Barbosa. E queria que a gente fosse com eles.

A gente cansado, domingão. A Marta ainda comentou: deve ser uma velha pentelha e ele não quer segurar a barra sozinho.

E, por falar em sozinho, me lembrei do último *réveillon* dele. Eu, a Marta e Regina Braga fomos até sua casa na Franca. A gente queria arrastá-lo para uma festa na casa do Carlos Queirós Telles. Dez da noite, ele já de pijama listrado (parecido com aquele do seu amigo Getúlio) com um uísque numa mão e o cigarro na outra. Não quis ir. O velho jornalista entrou no último ano da sua vida, sozinho, absolutamente sozinho.

Mas lá fomos nós para ver o Adoniran. Ele já estava lá. Reconhecemos pelas costas, com seu blazer azul-marinho, sua gola rulê e os óculos no alto da cabeça. Seu braço direito, quase na vertical, apoiado nas costas de uma escandalosamente maravilhosa dinamarquesa, de 25 anos. Soltando todo seu charme azul-claro, em francês. A moça encantada. O nome dela era Mariana, se não me engano.

Saímos dali e ele insistia em levar a moça para dançar no Hippopotamus. Duas da manhã. Ele estava sem carro. Demos uma carona para eles.

Me lembro da última história que ouvi dele. Ele contando para a dinamarquesa, que o líder do Partido dos Trabalhadores (recém-fundado) tinha uma casa com um jardim de cinco mil metros quadrados e era campeão sul-americano de boxe, nosso amigo **Eduardo Suplicy**.

Pouco mais de 24 horas depois, sete da manhã, o rádio anunciava a morte dele, nos avisava a Valéria Garcia. Chorando, corremos para o Einstein.

Samuca, o filho já estava lá. Foi uma luta a gente convencer as irmãs judias que ele queria ser cremado. Dias antes havia dito isso para mim e para o **Rubem Braga**.

É, a dinamarquesa havia sido um esforço que o pulmão dele já não agüentava. Bela morte para um homem tão bonito.

Uma semana depois, a dinamarquesa volta de Buenos Aires e, sem saber de nada, liga para a casa do Samuel. Atende o Samuca que estava a arrumar os papéis do pai.

Conta para ela.

Sai com ela. Come ela.

Meses depois também morreria. E eu fiquei aqui, imaginando o papo dos dois, sei lá onde.

Muitos anos depois, a **Pink Wainer** me conta que a dinamarquesa assim narrou, para o Samuca, a primeira vez que viu o Samuel.

S

E **Eduardo**
1983
senador
São Paulo
pág. 80

R **Rubem**
1980
cronista
São Paulo
pág. 206

P **Pink**
1974
artista plástica
São Paulo
pág. 191

S

— Eu cheguei na casa dele antes dele. Estava sentada, ouço o barulho das chaves na porta. Não tinha a menor idéia sobre o Samuel. A porta se abriu e, de costas, entrou um velhinho. Quando ele se virou, me viu. Remoçou 40 anos. Um garoto!

SERGINHO MAMBERTI, ator (São Paulo, 1974)

Peça teatral *Réveillon*, do Flávio Márcio.

A cena era a seguinte. O **Ênio Gonçalves** estava numa sala tentando alugar um quarto na casa da Yara Amaral. Ela saía da sala um minuto e ele dava uma geral no ambiente. Abria uma janela e olhava para fora.

Ênio E
1974
ator
São Paulo
pág. 82

A cena era séria. Na hora, eu e o Serginho estávamos na coxia. E o Serginho, no começo, mostrava a língua quando o Ênio olhava para fora de cena, ou seja, para a coxia. O Serginho fazia de tudo para que ele risse. E ele, profissional, firme.

Aí, o Serginho começou a mostrar outras coisas, além da língua. Com o passar do tempo, colocou lá uma cama e ficava deitado, fazendo uma bicha cheia de veludos vermelhos. Foi se aperfeiçoando e a cena passou a ter cama, abajur, figurino próprio, peruca. No final da temporada, quem entrasse lá atrás do cenário, veria um outro cenário e um outro espetáculo.

E o Ênio, tranqüilo, nunca riu, nunca mudou a marca. Até que um dia, o Serginho tirou tudo de lá. Ficou o vazio. Quando o Ênio abriu a janela e não viu nada, aí sim, se assustou, começou a rir, saiu de cena e foi para a coxia gritando "Cadê, cadê?". A Yara voltou para o palco e não tinha ninguém. O Pênio estava lá atrás, rindo.

SÉRGIO ANTUNES, poeta (Rio - São Paulo, 1980)

O Sérgio ainda morava em Lins. Ia para o Rio e tinha duas passagens de avião, ida e volta. Uma pra ele, outra pra Vera Heloisa.

O combinado foi eles virem de carro até São Paulo, dormiam conosco, o carro ficava na garagem e eles iam de avião para o Rio.

No caminho, guiando, ditou para a Vera um poema que ele fez pra mim, provavelmente entre Agudos e São Manuel.

Ao Mario Alberto Prata, bancário e escritor
(venceu sozinho, é amigo do mocinho)
Tipo esquálido,
pálido
é um atlético
cético.
Iconoclasta entusiasta
ostenta físico
tendendo ao tísico.
Fornicador,
subvertor,
além de gráfico,
é pornográfico.
Escriturário
dentro do horário,
depois do ponto
escreve conto.
Para alguns críticos
mais cítricos,
tem repertório
de mictório.
Outros vêem Eça,
É uma promessa.
Mas eu,
Mas eu não ligo:
É meu amigo.

— *Preciso te confessar uma coisa. Nunca andei de avião. Tenho medo de dar uma de caipira, fazer tudo errado. Dá umas dicas aí.*

— Tem erro, não, cara. Pra não dar uma de migué, quando vierem aqueles pentelhos querendo carregar a sua mala, dá não. O trajeto é bem pequeno.

Deixamos o Sérgio e a Vera bem na frente da Ponte Aérea. Levavam quatro malas. Quatro malas verdes. Verdíssimas. Além da estréia no avião, a Vera ia conhecer o Rio.

Uma semana depois, fomos buscar os dois no aeroporto.

— E aí, como foi a viagem?

— *Tudo bem. Já estou dominando o avião. Na volta, já estava pegando jornal de outra poltrona, sacou? Íntimo! Puta velha.*

— Conta da ida, conta!, pediu a Vera.

— *Bobagem, Vera.*

— Conta, cara!

— *A culpa foi sua. Você não disse que era para não dar a mala prus caras? Então, o cara perguntou se eu tinha mala eu disse que não. Fomos carregando as quatro até a sala de embarque. Eu estava achando esquisito, porque estava todo mundo viajando sem mala. Depois eu percebi que eu é que devia estar errado. Mas já que estava ali, não podia recuar. Fiz cara de autoridade. Entramos com as malas no onibusinho. Foi uma luta, todo mundo tinha que pular as malas, porque se colocasse reto, não dava pru povo sentar, se punha de viés... Mas a viagem foi curta. E pra subir a escada, meu? O pior era todo mundo olhando e achando que, se eu tinha chegado até lá dentro do avião, eu devia ser alguém. Cara de autoridade eu sei eu tenho. Quando a aeromoça já não sabia mais o que fazer com as malas e a Vera não sabia onde enfiar a cara, um filho da puta lá na base denunciou. O avião já estava esquentando o motor, com a porta fechada. Abriram a porta e entraram os militares, me deram um esporro, o vôo atrasou pra caralho. Mas chegamos no Rio e as baita tavam lá.*

SÉRGIO D'ANTINO, advogado (Cascais, 1991)

Em termos de mulher a coisa tava dura lá em Portugal. As portuguesas não davam para os brasileiros de jeito nenhum. Reclamava disso para o D'Antino, meu advogado, que havia alugado um apartamento, junto com o **Lima Duarte,** no meu prédio, lá em Cascais.

Lima L
1991
ator
Cascais
pág. 143

Um mês depois, recebo um telefonema de uma brasileira que morava em Lisboa e tinha ido e voltado do Brasil. Uma publicitária. Tinha trazido uma carta do D'Antino para mim com a recomendação de entregar pessoalmente.

— Como eu vou te reconhecer?

— Pareço uma índia.

Marquei com ela no Pavilhão Chinês.

Deus existe, pensei quando vi a índia entrando. Deus e o D'Antino.

Abri a carta. Era uma bela carta.

SILVIA CAMPOLIM, jornalista (São Paulo, 1995)

A filha dela, minha afilhada Maria Shirts, tinha cinco anos, quando o avô querido, pai dela, morreu. Fez um escândalo, a Maria, e conseguiu ir ao velório.

Chegou lá, não dava pé, a Silvia pegou ela no colo para ver o avô morto no caixão.

Sala cheia. A Maria olha, pensa um pouco e pergunta, alto:

— Mãe, como é que ele sabe que morreu?

Tempos depois a Silvia me mostrou um poema que a Maria estava escrevendo, já idosa, com oito anos:

— Deus é Deus, porque se ele não fosse Deus, ele não era nada.

Desculpa lá, Silvia, o verbete era seu, mas já diziam que "quem pariu Mateus, que o crie".

SILVIA DE TAL, puta (São Paulo, 1997)

Um banquinho, um violão.

Achei que tinha visto errado. Estava dentro do carro, subindo a Augusta, sábado pra domingo. Uma da manhã: uma profissional noturna sentada num banquinho, na esquina. De pernas cruzadas, como convém às mulheres que encantam.

Felizmente o sinal demorou e eu pude ficar olhando. Uma garota de programa sentada num banquinho, numa esquina, fazendo o antitrottoir ali, na minha frente. O sinal abriu, fui embora, olhando. Pelo retrovisor. Ela ainda me abriu um sorriso.

Dei a volta no quarteirão. Eu tinha que conhecer aquela mulher. Como é que nenhuma puta, há milhares e milhares de anos nunca tinha tido essa idéia? Era um banquinho desses para beber em balcão. Fino e alto. Dobrável, percebi assim que cheguei.

— *Só não faço bum-bum*, foi a primeira frase.

— Qual o seu nome?

— *Vanessa*, saindo do banquinho e se debruçando na janela. Era mesmo um banquinho e um violão, foi a coisa mais inteligente que eu consegui falar.

— Vanessa? Tou perguntando o de verdade.

Ela já riu, cúmplice.

— *Silvia.*

Fomos para um motel e devo confessar que ri muito mais do que transei. Ela era engraçadíssima. Adoro puta contando a vida. Toda puta tem uma puta história!

Ficamos amigos. Cheguei a apresentar no bar para os amigos. Ela segurava qualquer papo. Ela até andou saindo com um amigo meu e eu não sentia ciúmes. A relação era profissional. Mas de amigos.

Um dia ela me acordou preocupada lá pelas nove da manhã:

— *Acorda menino, você tem a palestra lá na USP.*

Enquanto eu tomava banho, ela, sentada nua na privada me disse:

— *Também vou.*

Não só foi como encantou a inteligência uspiana.

Uma época, sumiu. O celular não era mais dela. Até que um dia, coisa de um mês atrás, eu vejo a Silvia. Não mais ostentava o violão e o banquinho na Augusta.

Tinha casado com aquele professor, aquele do departamento de línguas, lembra?

SILVINHA BUARQUE, atriz (Rio, 1973)

Era quarta-feira e a gente estava almoçando. Na minha frente Marieta. Entre nós, na cabeceira, o **Chico**, 29 anos, amassava o seu feijão com farinha.

O vinho nos copos e ela, cinco anos, dando volta em torno da mesa como quem não quer nada, com uma folha de papel em branco nas mãos. Aproveitou a deixa de um segundo de silêncio entre os três, rasgou uma pontinha de papel, deu para a Marieta.

— *Mamãe, carta minha, da Itália.*

Marieta olhou pra gente, pegou o pedacinho de papel e nem precisou piscar para ter a nossa cumplicidade. Começou a "ler" a carta, na maior:

Querida mamãe. Estou aqui na Itália passeando e morando na mesma Vila que nasci. Está tudo muito bonito e a Helena está comigo. Chego quarta-feira. Peça ao papai para ir me buscar no Galeão. Beijos da Silvia.

Guardou a carta. Continuamos o papo. Ela dá umas voltas na mesa, some, volta e entrega uma "carta" para o pai.

— *Papai, carta minha procê.*

Chico abriu a carta, esticou a vista reconhecendo a letra da filha e foi lendo para nós.

Querido papai. Como você sabe, estou aqui na Itália e estou escrevendo que é para você não esquecer de ir me buscar quarta-feira no aeroporto. Não sei se a Helena vai comigo. Ela pegou uma carona com uns hippies e foi para a Espanha. Chego quarta-feira. Um beijo da Silvia.

Aquela história dos hippies da Espanha não estava nos planos da Silvia, mas no mesmo instante chegou uma "carta" para mim.

— *Carta minha para o Mario Prata* (ela é sistemática, sempre me chamou pelo nome inteiro).

Eu tinha que entrar no jogo dela (e deles). E eu li também a carta que recebi, inventando, também, na hora.

Querido Mario Prata. Avise o papai para não esquecer de ir me buscar no aeroporto. Diga a ele e à mamãe que a Helena não vai voltar comigo porque está morando numa

S
C **Chico**
1998
compositor
Paris
pág. 55

comunidade hippie na Espanha. Beijo para todo mundo, da Silvia.

Pronto, estava fechado o ciclo e ela sumiu pelo apartamento. O engraçado é que o Chico e a Marieta não fizeram o menor comentário sobre as cartas, como se aquilo fosse a coisa mais normal do mundo.

Tudo bem. De repente, a campainha toca insistentemente. Chico pára de comer e vai abrir. Entra ela com uma sacola na mão e uma bronca na cara:

— *Muito bonito, né? Pois então eu mando três cartas dizendo que vou chegar na quarta-feira e ninguém vai me buscar no Galeão?! Tive que pegar um táxi!*

Ficamos os três olhando para ela com aquela cara boba de adulto, mas o pai consertou.

— Ih, Marieta, eu não falei que era hoje? Me desculpa, vamos entrando, vamos entrando! Dá cá um beijo! E a Itália, como está?

— *A Itália está linda. Estava morrendo de saudades!*

Depois dos beijos normais de quem chega de viagem, sentou-se na quarta cadeira da mesa para descansar da viagem. E começou a falar da Itália, quando a Marieta perguntou pela irmã menor.

— *Ih, mamãe, está morando com uns hippies. Tentei trazer ela, mas ela quer ficar mais um pouco. Não sei se vem, não.*

— Mas ela não mandou nenhuma carta, notícia de quando vem, com quem está?

Ela não se apertou.

— *Lógico. Mandou uma carta para vocês.*

E, da bolsa, tirou um pedacinho de papel que seria a carta da Helena. Entregou para a Marieta ler. Marieta pegou a carta, deu uma olhada e resolveu ir mais longe com aquele pedaço de papel em branco.

— Leia você.

— *Eu?*

— É. Leia para a gente a carta da Helena

Ela pegou o pedaço de papel, olhou para nós três. Fez uma cara de decidida e resolveu enfrentar o desafio.

Querida mamãe... Querido papai... Querido Mario Prata... Eu estou aqui... (enroscou) Eu estou aqui... (não conseguia inventar a carta da irmã) Eu...

— *Mamãe, a Helena não perde essa mania de começar as cartas e não terminar!!!*

SÔNIA BRAGA, atriz (São Paulo, 1969)

Ela tinha 18 anos e ainda não fazia *Hair.*

O diretor da faculdade de Economia da USP proibiu que eu, aluno, lançasse lá o meu primeiro livro *O Morto que Morreu de Rir.* Naquela época, já dizia Jesus a seus discípulos, mais de cinco juntos era subversão. Então o lançamento foi no Sesc-Anchieta, ao lado, uma vez que não dava mais tempo para avisar os convidados.

Mandei fazer um carimbo para os autógrafos com alguma coisa escrita do tipo "para .... com votos de carinho e felicidade, modestamente ofereço". E era a Soninha, minha mais bonita amiga, quem batia o carimbo e punha o nome da pessoa. Nunca vi ninguém bater tão bem como ela. Fez muito mais sucesso do que eu. Eu só rubricava.

Como eu era uma besta, não rolou nada. Mais tarde, foi ficando cada vez mais difícil.

Vinte e cinco anos depois, vi a Soninha entregando Oscar lá em Los Angeles. Olhei na mão direita dela. Pra mim, não era o Oscar que ela estava segurando: era um carimbo.

STELLA FLORENCE, escritora (São Paulo, 1998)

Não conhecia ela. Me mandou, via e-mail, os originais de um livro que havia escrito que se chamava *Hoje Acordei Gorda.* Fui ler, como sempre com os pés atrás, e desbundei.

É uma escritora. Sentei no computador e escrevi um prefácio para ela, de enxerido, pois ela não havia me pedido nada.

Depois de escrito o prefácio e aprovado, a editora Rocco ligou para ela: você existe mesmo ou é uma personagem do Mario Prata?

S

Campos C
1998
escritor
São Paulo
pág. 48

Mandei este livro aqui pra ela e ela respondeu. Acho que numa tentativa de prefaciar.

Oi Mario, tudo certinho?

Lemos (eu e o Eduardo-elemento) suas memórias paralelas — cujo título é ótimo. Para abreviar o estou chamando de "meu, tudo meu!" e tenho duas opiniões pra vc.

1) A dele primeiro. Leu tudo e disse, satisfeitíssimo: "Delicioso!" Nada além disso: delicioso! Faz tempo que tô desconfiando dele. Eduardo: é aquariano, é corinthiano, não só leu como sabe de cor James Lins, *adora* **Campos de Carvalho**, *eu disse a-do-ra, acabou de treler* O Púcaro Búlgaro *e me instigou horrores com títulos maravilhosos como* A Chuva Imóvel *e* A Vaca de Nariz Sutil. *Era apaixonado pela Maria Teresa com — diz ele — 6 anos de idade. Lembra de detalhes do* Estúpido Cupido *que nem eu lembro — e sou mais velha 4 anos. E mais esta: quando eu estava lendo "viajamos o Brasil fazendo a peça* Réveillon*" ele completou imediatamente "do Flávio Márcio". Eu perguntei: "Como vc sabe?". Disse que leu sobre ele num livro de propaganda.*

Mario, seja sincero: ele é você? Mas era só o que me faltava! Se ele é você e eu sou você então, bem, isso é uma suruba de um homem só!

2) A minha opinião: delicioso! Mas não deixo de ficar preocupada com a sua integridade física: vc jura que vai publicar tudo isso? Tudo mesmo? Cuidado que vai ter gente abrindo fábrica de bonecos vodus seus!

*Oh, claro que gostei de estar aqui (tô te mandando atachado o prefácio como saiu no livro, se vc quiser). O chefe da Beth Orsini, d'*O Globo, *um cara chamado Ali Kamel, disse que o jornal iria pagar o maior mico se ele não tivesse lido o prefácio e visto que eu sou um pseudônimo seu. A coitada tentou me achar, não conseguiu. Falou com a Rocco "Vcs não me armaram uma sacanagem dessas, né? Ela existe, não é?" — e isso depois de nós conversarmos mais de uma hora por telefone. Depois da Rocco jurar que eu existo, a coisa acalmou e a matéria saiu. Liguei pra Beth e disse que se ela quiser eu vou até a redação pra dar um alô ao Ali Kamel* *ao vivo e em cores. Mas acho que nem isso vai ajudar muito: tô posando de índia do Marlon Brando, rapaz! E vc dando autógrafo no* Hoje Acordei Gorda*! A crise de identidade não pára por aí: tô lendo Dorothy Parker pela primeira vez (por causa da Beth que me chamou de "D. Parker dos anos 90") e estou pasma: parece eu, a forma e o fundo são tão parecidos comigo que já estou achando que sou a reencarnação dela! Ela morreu em 67, eu nasci em 67... Ó meu Deus, quem sou eu???????*

SUZANINHA DE TAL, dançarina (São Paulo, 1971)

Lembra? A noite paulistana ficava mais perto dela mesma. Era tudo ao redor da Praça Roosevelt, da Nestor Pestana, da Augusta (ali embaixo) e da Avanhandava. Sem falar, obviamente na Galeria Metrópole. O Ponto de Encontro. O Paribar, o Barba Azul, o Juão Sebastião Bar.

Para se chegar à Paulista ia-se de bonde pela Consolação que ainda tinha só uma mão. E não vendia mamão lá em cima, de madrugada.

A gente perambulava de boteco em boteco, de restaurante em restaurante a pé mesmo. Mesmo porque ninguém tinha carro. E não havia perigo da gente ser assaltado ou mesmo assassinado sem mais nem menos.

Estava chegando do interior de São Paulo: +1, Eduardo, Gigetto, Jogral, Piolin, Cave, o quarto de algum amigo no Copan para dormir. Tinha garoa e eu não tinha ressaca com os meus vinte e poucos. Médici na cabeça.

E foi o **Luiz Carlos Paraná**, dono do Jogral e amigo noturno, quem me apresentou a uma gracinha, mora!, que estava olhando pra mim no Jogral enquanto a Ana Maria Brandão me mandava "Aquele Abraço". O Paraná disse para ela que um dia eu seria um grande escritor. E disse para mim que um dia ela seria uma grande bailarina.

L **Luiz Carlos**
1971
compositor
São Paulo
pág. 150

Por enquanto eu trabalhava no Banco do Brasil, na Penha e ela dançava de noite no Hulla Balloo, boate da Santo Amaro.

Não sei com que coragem marquei de pegá-la no dia seguinte, depois do expediente dela, na boate, às duas da manhã. Ela trabalha lá, mas é de família, me dizia o Paraná. Mora num apartamento imenso na Angélica. Sou amigo da mãe dela. Pega leve, bocomoco!

Três ônibus me levaram da Penha até Santo Amaro. Cheguei um pouco antes. Ela tinha deixado ordem para o porteiro. Entrei, tinha uma mesa, bem debaixo de um pequeno altar onde ela ficava lá em cima, sozinha, dançando. De biquíni. Requebrando como uma escultural mulata, em branco. Eu não sabia o que ia fazer com aquilo. Não sabia mesmo. Tinha esquecido de pensar no depois.

Terminou o serviço, ela me pega na mesa — o Cuba já estava pago — e saímos para a rua.

Foi aqui que eu percebi que não tinha feito plano. O que fazer com aquela moça gostosa, mas de família? Nem carro eu tinha. Ela ficou me olhando tipo: e agora, vamos aonde? Sei lá, vamos pegar um táxi.

Era um fusquinha branco, sem o banco da frente. Entramos os dois lá atrás. O motorista era um crioulo imenso com a cabeça raspada e brilhante. Um lutador de sumô africano. Vamos pra onde? Pra onde? Vai tocando pru centro.

Silêncio lá dentro. Eu não sabia o que dizer. Suava. O que dizer? Onde pegar? Onde ir? Foi quando eu me lembrei das sábias palavras da minha mãe quando eu saí de Lins: meu filho, respeite sempre as moças. Não se esqueça que você tem uma mãe e duas irmãs.

Resolvi pegar esse mote e comecei a contar isso para ela. Que, quando eu saí do interior, a minha mãe pediu que eu respeitasse as moças, etc. Foi quando ela deu o endereço da casa dela para o negrão. Estava sendo mais fácil do que eu esperava.

Chegamos diante de um bonito prédio na Angélica, descemos, eu paguei e disse ao motorista: se eu não voltar em três minutos, você pode ir embora. Em menos de um, eu estava de volta. Foi o tempo apenas dela me estender a mão e agradecer a carona. Volto para o táxi:

— Penha de França.

Estava ali eu, na Celso Garcia suada e quilométrica, a pensar onde é que eu tinha errado, quando o negrão, que se chamava **Tonho** — soube depois —, cuja voz eu ainda não conhecia, mas que atentamente tudo ouvira, disse todo rouco, virando o pescoção pra trás, modestamente proferindo a sentença fatal:

— Não comeu e nem vai comer!

— Como?

— Não comeu e nem vai comer.

— O que que eu tinha que ter feito?

Mais rouco ainda, convicto:

— Tinha que ter dado uma mordida no gangote dela e dito: vamos dar uma guspidinha aí dentro?

S

T **Tonho**
1994
motorista
São Paulo
pág. 232

T

TÁI CASTILHO, psicóloga de casais (São Paulo, 1989)

Em 1989, milhares de jovens ocuparam a praça da Paz Celestial (Tiananmen), em Pequim, exigindo mais democracia. Após um momento de indecisão, as forças armadas atacaram os manifestantes, causando centenas de vítimas. Zhao Ziyang, acusado de simpatizar com o movimento em favor da democracia, foi substituído por Jiang Zemin. Li Peng manteve-se no cargo de primeiro-ministro. (©Encyclopaedia Britannica do Brasil Publicações Ltda.)

Momentos antes do massacre, de manhã, a Tái saía do Opium Motel com o meu carro e, da portaria, me ligaram:

— Olha, a mulher tá indo embora com o seu carro. Tudo bem?

Tudo bem, eu queria dormir mais e ela tinha um almoço. Voltou de tarde e me contou do massacre. Impossível esquecer esse dia.

Como é impossível esquecer o dia que chegamos na casa dela, de madrugada e a filha Paulinha, de 17 anos, modelo da Ford, estava deitada no chão, dormindo com a televisão ligada. Nua.

Dezessete anos, modelo da Ford, nua, ali debaixo de mim.

— *Me ajuda a levar ela para o quarto.*

— Eu não encosto!

E me tranquei no quarto. Não quis nem ver a cena.

Paulinha é hoje fotógrafa da *Época*. Continua linda. Agora, outra época, vestida.

TARSO DE CASTRO, jornalista (Rio, 1980)

Samuel | S
1980
jornalista
São Paulo
pág. 212

Me disse o **Samuel Wainer** que, quando apresentou a Candice Berger para o Tarso, ele quase comeu, ali mesmo, em cima da mesa do Antônio's.

Alguns meses depois eu vou no apartamento dele no Rio. Entro no quarto:

— Aqui que você comeu ela?

Claro, ali era um lugar sagrado, um templo. Queria imaginar a Candice Berger por ali, nua. E ele, andando pela casa:

— Ali, aqui, ali, aqui, debaixo daquilo, em cima daquilo, lá, aí nesse tapete.

E ria, o escroto.

— Desculpe a pergunta, mas você fala inglês, Tarso?

— Eu só arranho. Mas o pau fala!

T

TENÓRIO DE OLIVEIRA LIMA, psiquiatra (São Paulo, 1994)

O sonho do meu filho Antonio é ter um programa na televisão chamado "Pergunte ao Tenório".

Sabe tudo, esse baiano. E, quando se empolga, o Tenório tenoriza sobre qualquer assunto. Vinhos, música, psicanálise, medicina, teatro, cinema, bolinha de gude, motor de avião, batatas, cidades européias, orgasmos, roubo de mulheres (me roubou a **Annette**), Shakespeare, jazz ou dupla caipira, criminalidade em São Paulo, arroto, peido, Proust, segredo de cofres, faixa branca nos pneus, menstruação das baleias, basquete.

A **Annette** 1991 jornalista São Paulo **pág. 28**

Já fiz vários testes. O homem é fera. Mas um dia perguntei:

— Tenório, de vez em quando, você não chuta, não inventa?

Ficou meio indignado.

— Jamais! Inventar, jamais! Digamos que eu arredonde.

TERESA COLLOR, empresária (Paris, 1998)

Sabe o que ela comeu no dia 2 de julho de 1998, em Paris?

Filet de boeuf grillé, sauce béarnaise.

Trocando em miúdos: o nosso velho, bom e manjado filé com fritas. Vinho francês? Não, duas cocas. E não eram diet, não. Sobremesa?

Sorbets avec parfum de votre choix.

Sorvete mesmo e ela escolheu de chocolate. Se você fizer questão, posso dizer até mesmo como foi o almoço e o café da manhã do dia seguinte.

Não, infelizmente não foi ao meu lado num belo restaurante francês (o Fouquet's seria ideal) tomando champanha nacional, que o fato se deu. Sim, por outro lado, foi ao meu lado. Uma parede de 20 centímetros nos separava naquele hotel perto do Arco do Triunfo.

A periclitante proximidade, a avassaladora beleza e a pasmante simpatia dessa guapíssima gabriela do interior das Alagoas fazia com que eu dedicasse alguns minutos do meu dia a pensar nela. Afinal, estávamos no mesmo barco e já tínhamos algo em comum: a Copa de Paris.

E ficava pensando: vale a pena ser ela? Como se não bastasse ela ser a Teresa Collor, ela se veste de Teresa Collor. Nem tente imaginá-la vestida de outra maneira. A criatura veste a personagem. Ela assumiu o teresacollor, enquanto e quando podia ficar apenas a tocar Lira. Ela criou o modelo e se encaixou, emoldurou-se dentro dele. Ela é a e o modelo.

Ela não saía do quarto. Não podia. Lá embaixo, dentro do hotel, algumas centenas de torcedores brasileiros sabiam da ilustre hóspede e torcedora. Bastava abrir o elevador e as amadoras fotografias espocavam. Pedaços de papel para um risco do nome dela.

— *Por favor, abraçado, não,* pedia ela tentando uma humildade que parece realmente ter. Mas como ser humilde e simpática o tempo todo? Como não se esquecer que os antepassados alagoanos trucidaram e comeram, literalmente, o bispo Sardinha, com osso e tudo?

No trem bala, a caminho de Nantes, ela tentava ler um livro. Meu. Em vão. O assédio era mais rápido que o TGV e os parágrafos. No estádio, o Brasil ainda não entrara em campo. Mas ela, sim. Vinte mil brasileiros sabiam onde ela estava sentada. Cercada por irmãos, irmãs, cunhados, cunhadas, pai e mãe e o escambau, ela se levantou para ver a entrada dos canarinhos. Mas os assovios foram para ela.

Impossível não lembrar dos fotógrafos correndo atrás da Lady Di, no túnel, ali mesmo, ao lado do Sena.

E ela sorri. Ela tem que sorrir. O Brasil estava de olho nela.

Impossível, para ela, ir à Torre Eiffel que se curvaria com o peso dos olhares verde-amarelos. O Arco do Triunfo abriria suas portas para a sua passagem e a Bastilha (que já foi um castelo-prisão, como o quarto dela lá no hotel) só não ruiria porque já houve a queda em 1789.

Vale a pena ser ela?, ficava a me perguntar enquanto podia ir tentando seguir os seus passos no quarto ao lado. Ligava a televisão, rodava por vários canais, o telefone tocava, não dava para ouvir. La Vie en Rose?, espinafraria Edith Piaf.

Ao lado do hotel tinha uma peruqueria. Andei pensando em comprar uma daquelas bem loiras e enfiar na cabeça dela. Dar um banho de maquiagem naquele rosto talhado em mármore quente, um par de óculos escuros e levá-la, na minha imaginação de menino traquinas e mineiro, para a Eurodisney. Só pra ver ela sorrir por conta dela mesma, só pra ela sentir o frio na barriga numa curva de montanha-russa e posar ao lado da Minie. Ver a Teresa pedindo autógrafo para o Pateta, ver a Teresa soltar a criança que deve ter dentro dela. Ouvir a Teresa chupar sorvete ao ar livre e depois comer filé com fritas com as mãos sem esmalte.

Tirar a roupa que ela usa, meter ali uma velha calça lee desbotada, um tênis sujo, uma camiseta escrita no peito Center Castilho ou W/Brasil. Colocar a moça na vida, enfim. Tomar uma caipirinha na praia de Marselha, dar um caldo nela no Sena, em frente da Notre Dame.

Tirar essa nossa Lady Di cor de jambo da lente-túnel dos fotógrafos, tirar das fofocas das caras & caretas, das manchetes globais. Pôr na vida.

Tirar essa menina assustada daquela Bastilha onde (in)voluntariamente se encarcerou lá, aqui em Paris, lá no hotel, ali, do meu lado. Logo ali, depois de apenas um tijolo e um punhado de tinta amarela.

E passar pelo corredor de carpete vermelho como as suas unhas, e não ver sempre, sempre, sempre, aquele pedaço de papel pendurado onde ela mesma, por querer ou sem querer, um dia precisou escrever:

Ne Pas Deranger! Ou, se preferem, *Do Not Disturb!* Ou, para falar em brasileiro bem claro: Não Me Encham o Saco!

T

Alberto | A
1954
médico
Bauru
pág. 24

TIA JURITI, dona-de-casa (Uberaba, 1960)

É uma tia, distante. Tão distante que só estive com ela ao vivo uma vez. Mas o que importa são o pai e a mãe dela.

Ela é filha de Manuel de Oliveira Prata, o Nequinha Matador, que vem a ser tio do meu **pai**, e da Georgette Dupin, bailarina francesa.

O fato se deu na primeira metade do século.

Tio Nequinha Matador, matava. Chegava em casa sacudia o colete à prova de balas "para desgrudar os estanho".

Foi esse mesmo Nequinha Matador que deu uns tiros na tela ao ser projetado o primeiro filme na cidade de Uberaba. Era *A Vida e Paixão de Cristo*, mudo. Tava todo mundo lá. Quando começaram a bater em Jesus, ele não teve dúvidas. Sacou a garrucha e descarregou na tela, sendo que um dos tiros atingiu um primo nosso, o Chico Ligeiro, que ficava atrás da tela espargindo água para ela não se queimar com o calor da projeção. Depois dos tiros, ainda deu um esporro na platéia:

— Cáspite, os caras maltratando o homem lá e ninguém faz nada?!

Pois o tio Nequinha, nessa época, era noivo da Carmen Dimas, com data marcada para o casório e tudo. Eis que passa pela cidade uma companhia de balé do Rio de Janeiro para se apresentar na inauguração do Cine-Teatro São Luiz.

Tio Nequinha perdeu-se de amor no primeiro voleio de Georgette Dupin, francesa de incomensurável beleza e leveza. Georgette trabalhava como bailarina usando o pseudônimo de Jandaia.

Tio Nequinha largou tudo e seguiu com a companhia. Foi morar no Rio de Janeiro por anos e anos, nunca mais aparecendo em Uberaba.

Enquanto isso, em Uberaba, Carmen Dimas trancafiou-se num quarto, de onde nunca mais saiu. Ali, rezava, esperando Nequinha, o Matador. Me lembro da porta do quarto dela, quando era garoto. Nenhum de nós conhecia a cara dela. Só a misteriosa porta. A porta do quarto da Carmen Dimas.

Muitos e muitos anos depois, Georgette morreu, deixando duas filhas, a Juriti e a Conceição. Fora os netos.

Tio Nequinha, 80 anos, volta a Uberaba. Procura Carmen, que ainda o esperava, beirando também os 80. Tira-a do quarto e a leva para o altar.

Foi um dos maiores casamentos que se teve notícia em Uberaba.

Tio Nequinha tomou uma quantidade imensa de hormônios para rejuvenescer e fazer a felicidade de Carmen Dimas. Quarenta e oito dias depois estava morto, do coração.

Tia Carmen Dimas Prata, no velório, para o meu pai:

— Em toda a minha vida, só fui feliz 48 dias.

TICÁ BEOZZO, estudante (Rio Claro, 1968)

Na capa do número 1 da *Veja*, vermelha, tinha uma foice e um martelo. Eu estava numa pracinha em Rio Claro, esperando a Ticá sair da faculdade. A notícia tinha chegado até mim.

Ela ia se casar. Como, se casar? E os nossos planos?

— *Ele teve que sair do país e eu vou me encontrar com ele na Bélgica.*

Ele era o Richard, estudante como nós. Preso, torturado.

— *Não entregou ninguém.*

— Gente fina.

O pai dele era chefe geral dos escoteiros do Brasil. Tinha contatos, tirou o filho do Brasil.

— Mas e eu, como fico?

— *Eu tenho que ir me encontrar com ele. É uma questão política.*

Ela pegou a *Veja*. Era um presente meu, a número 1. Foi embora. Andar pelo mundo. Mas a gente nunca se esqueceu. Ficou aquela coisa parada no ar, numa praça, numa cidade onde só fui uma vez. Levar uma foice e levar uma martelada.

Naquele tempo a política falava mais alto que o coração.

Tentei falar com os irmãos dela, o **José Oscar Beozzo** e **Gutão**. Em vão. Era um gesto político.

J **José Oscar**
1998
padre
Lins
pág. 120

G **Gutão**
1978
dentista
Munique
pág. 95

T

TÍCHA GREGORI, do lar e do bar (São Paulo, 1996)

O Chico Millan pensa que é o dono do bar Balcão. Pensa. Quem manda é a Tícha.

O pai dela, o Zé Gregori, ministro dos Direitos Humanos, travesseiro do presidente, bem que poderia indicá-la para ministra da Economia. Afinal, quem entende de economia no Brasil são mesmo as mulheres. Tem que colocar uma mulher lá. Uma mulher do lar e do bar.

Você me dirá: mas a Zelia deu naquilo. Sim, mas a Zelia era só do lar.

Veja:

Era sábado e eu ia para um churrasco na casa da minha irmã **Rita** e, em passando na frente do bar, dia de feijoada, cheio de amigos lá dentro, dou uma paradinha para uma caipirinha.

Rita R
1966
decoradora
São Paulo
pág. 201

Peço a caipirinha. Peguei um pratinho — de sobremesa! — coloquei cinco pedacinhos de lingüiça — menos de um centímetro cada um — nele e um pouquinho de farofa.

O Chico, marido dela, sentou-se comigo e comeu quatro dos cinco pedacinhos. Bebi minha caipirinha, pedi a conta.

Ela cobrou uma caipirinha e meia feijoada! Pode?

Zé Gregori, leva a menina pra Brasília, Zé Gregori!

TONHO, motorista (São Paulo, 1994)

O ponto dele era a um quarteirão da minha casa, na alameda Franca. Na primeira vez que entrei no carro dele, bateu o álbum. Eu sempre digo que bateu o álbum quando eu olho pra um sujeito e sei que conheço de algum lugar. Meu pai também é assim. Começo a folhear o álbum. Pergunto:

— Há quanto tempo você tá na praça?

O crioulão coçou a cabeça careca, brilhante:

— *Tem pra mais de 30 anos. Entre idas e vindas. Uma época trabalhei com madame.*

— Não é melhor?

— *Tem vantagens e desvantagens. Por exemplo, eu resolvi voltar para a praça depois de passar três anos levando porrada do filho da madame. Ele era prejudicado, sabe? Desses meio bobão? Então. Ele aí atrás e adorava dar porrada na minha cabeça. Três anos, meu. Foi foda!*

— Garoto pequeno?

— *Era pequeno, sim. Mas tinha 38 anos!*

E deu uma gargalhada. E foi, na gargalhada, que eu me lembrei dele. Era aquele da **Suzaninha**.

Contei a história pra ele. Ele disse que lembrava e ainda me cutucou:

— *Comeu?*

— Nada!

— *Não disse?*

T

S **Suzaninha**
1971
dançarina
São Paulo
pág. 223

TOQUINHO, compositor (São Paulo, 1971)

Estamos nós dois no elevador do prédio dele, nos Jardins. Nós dois e um garotinho que acaba de entrar. Uns cinco anos. Mal alcançava o número 6. Apertou. Apertamos o 5.

Ele mostra a língua para o garoto.

O garoto mostra a língua para ele.

Ele mostra a língua para o garoto.

O garoto mostra a língua para ele.

Estamos chegando no quinto. A última língua foi do garoto. Mas o Toquinho não admite perder. Nada e nunca. Na hora que saímos e a porta está quase fechada, na frestinha que sobra, ele mostra a língua, vitorioso e bate a porta.

Mas, lá dentro, o garoto fica na ponta do pé e, pela janelinha, numa fração de segundo, mostra a língua.

O Toquinho fica puto e sai correndo pela escada a toda. Chega no sexto andar junto com o elevador que se abre, mostra a língua para o garoto e volta correndo.

— *Ganhei,* diz, ofegante e suado.

T

TUNA DWEK, atriz (São Paulo, 1989)

Querido Mario,

Eu preciso te contar uma coisa... mas não sei ainda como... não sei nem de que jeito começar pra não te magoar, não te emputecer, não ver você virar uma onça. Mas, de alguma maneira eu vou ter de contar e assumir todas as conseqüências do meu gesto. Então, é o seguinte: eu acabei dormindo com o Frank Bruno ontem.

Foi só dormindo, mas de qualquer forma, nossos corpos adormeceram encostados um no outro e a mão dele segurava meu braço, com ele dormindo, delicadamente com aquele cheiro de bebida que você sabe que eu adoro. Cheguei a achar, por um momento, que era você.

Eu pedi pra ele não te contar nada porque eu acho que eu devia te contar pessoalmente. Como você não está, escrevo (pra variar) mas gostaria que você me ligasse à noite, conforme teu costume, pra me perdoar. Mas, você vê, você deixa um espaço enorme às vezes, e aí, krau, chega um grandão e acaba ocupando.

Ele estava esgotado da luta com o Tyson e achamos então que faria bem a ele ficarmos juntos.

Ele chegou primeiro ontem, dormiu mais cedo do que você e acabou levando a melhor.

Espero que você me perdoe. Não gosto menos de você por causa disso. Esses encontros são passageiros e não começaram com uma briga como começou o nosso encontro meses atrás, o que acabou reforçando a sensação de que quando a gente está junto, está porque tem muita vontade.

O Frankie gosta muito de você e não gostaria de te magoar, Mario. Além disso tudo, ontem eu estava sem voz quase e sussurrava sem querer e... bem... ele ficou com um certo tesão e... Bem.... você sabe, não é?... Bem, eu... quero dizer... de certa forma... bem, eu... acho que...

Enfim, Mario, eu precisava desabafar e contar isso e esclarecer pra que não fique um clima desagradável entre vocês, que são tão amigos e de tão longa data.

Você vai me perdoar? É muito grave?

T

O Van Gogh dizia que tudo o que se faz por amor está bem-feito (aliás, vou te mandar a frase inteira que é linda) então concluo que, de alguma maneira, tudo o que eu faço está certo.

O Frankie voltou pra New York esta manhã às 6, supercedo, porque ele tinha um trabalho terrível pra fazer lá e precisava ir cedo e no aeroporto ele disse que não gostaria de saber que nós nos indispusemos por causa dessa besteira e que se ele souber de algum mau trato seu, te arrebenta... Brincadeirinha. Ele vai ter uma conversa séria com você.

Regra número 1: um(a) amigo(a) não pode — não deve — se apaixonar pelo(a) outro(a). Senão, fode. Quero dizer, senão não fode mais.

Um beijo enorme, com o remorso de não estar arrependida.

Grrr!!! Saudades!

Ciao.

T.

29.02.89

V

VAVÁ, secretária (Sorocaba, 1999)

Ela é muito baixinha. E gordinha. Parece uma bola, a Vavá. Conheci no spa. À primeira vista, parece que é doida. Depois você vai se acostumando e percebe que, de louca, ela não tem nada. Aí você fica íntimo e percebe que é doida, sim. Uma adorável doida. E não é de hoje.

No começo dos anos 50, o Brasil da Vavá era muito diferente do de hoje. O vice-presidente, o Café Filho, uma vez por semana, recebia o povo e ouvia os pedidos e as reclamações.

Pois um dia a Vavá, que não tinha ainda nem 20 anos, ia passando pela rua quando viu a fila.

— *Que fila é essa, minha senhora?*

— É pra pedir coisa pru vice-presidente.

A Vavá tinha mesmo saído para procurar emprego. Entrou na fila. Chegou na frente do Café Filho.

— *Minha família fala muito no senhor. Lembra nos anos 30, quando o senhor levou uns tiros nas costas (*o Café esfria*)? Foi a minha avó, lá no Nordeste, quem salvou o senhor.*

O vice-presidente da República, é claro, lembrava daqueles tiros. E como agradecimento — talvez — contratou a Vavá como secretária.

E foi assim que a Vavá foi secretária do Café Filho, do Juscelino, do Jânio, do Jango, do Castelo, do Costa e Silva, do Médici e do Geisel.

Depois aposentou. O nome dela é Waterlan Alves Rodrigues Martins. E de doida não tem nada.

Te amo, Vavá!

VICENTE DE PAULA PRATA, dentista (São Pedro dos Ferros, 1962)

Meu tio, irmão do meu pai. E do **Hugo**, do Padre e do **Bipe**.

O Hugo era administrador de uma fazenda, lá em São Pedro dos Ferros, quando o fato se deu.

O Padre já estava lá, de férias, quando o Vicente chegou e foi direto para a fazenda. E o Hugo lhe pediu um favor: ir

Hugo H
1969
agrônomo
São Paulo
pág. 101

Bipe B
1962
arquiteto
Lins
pág. 37

até a cidade e pegar o Padre, na farmácia, às cinco da tarde. O Padre já não usava batina.

Lá foi o Vicente. Chegou na praça da desconhecida cidadezinha no norte de Minas e lá estava a farmácia. Viu o Padre lá dentro, debruçado no balcão, falando com o farmacêutico.

(Esses quatro irmãos têm uma mania entre eles: até hoje — todos entre 60 e 90 anos — adoram passar a mão na bunda um do outro, pegar no pau e etecétera.)

Ele foi chegando devagarzinho para não assustar o Padre que estava de costas e encoxou ele por trás, segurando pela cintura. O farmacêutico boquiaberto com a cena. O Padre se debatia como podia, mas o Vicente não largava. Para matar a saudade cravou ainda uma mordida no pescoço do Padre.

Quando, finalmente, o Padre conseguiu, com muito esforço, se desvencilhar do Vicente, não era o Padre, irmão dele. Era um desconhecido.

Ele deu um passo atrás:

— *Desculpa, pensei que fosse o Padre!*

VINÍCIUS DE MORAES, poeta e diplomata (São Paulo, 1972)

Como toda noite, estávamos todos lá no Carreta comendo a pizza do Luiz Ambrósio e tomando todas. Ele, o **Toquinho**, o **Samir Meserani** e **Regina Vieira**, eu, capitão **Melchiades**, Maria Alice Rufino, a Wilma, a Denise e a Sandrinha Abdalla, a Lúcia Gomes, o Piriga, o **Carlinhos Vergueiro,** o Zé Nogueira da Eldorado e mais, muito mais, como diria uma colunista social inspirada.

A moda era jogar War, lembra? Resolvemos, lá pelas duas da manhã, ir pra casa do Toco jogar. Todo mundo. O Vinícius pediu uma pizza para viagem. Que fez questão de levar no colo, de pilequinho.

Chegando na frente do prédio, ele insistia em carregar a pizza. Ao subir os três degraus da entrada, girou em torno dele mesmo, fez que caía, não caiu, voltou os três degraus de

V

T **Toquinho**
1971
compositor
São Paulo
pág. 233

S **Samir**
1972
professor
São Paulo
pág. 211

R **Regina**
1999
terapeuta corporal
São Paulo
pág. 196

M **Melchiades**
1971
jornalista
São Paulo
pág. 174

C **Carlinhos**
1983
músico
São Paulo
pág. 50

V

marcha à ré, todo mundo olhando, procurando um apoio. A pizza não foi ao chão, por milagre. Mas, no malabarismo todo, a calça foi. E a cueca samba-canção. Ali estava o poeta, pelado com o vento frio batendo na bunda.

Subimos, ele comeu a pizza, não quis jogar, foi dormir.

O jogo (o Toquinho roubava) demorava, lembra? Eram umas sete da manhã, a gente ouviu o chuveiro a funcionar. O poeta tomava banho. Depois ouvimos que entrou na cozinha. Finalmente ele chega na sala. Banho tomado, cabelinho penteado pra trás, com a cara ótima, um gim-tônica balançando gelo na mão:

— *Como é que está o joguinho?*

VIVIEN MAHR, atriz (São Paulo, 1978)

Serginho S
1974
ator
São Paulo
pág. 214

Fabrício F
1992
padeiro
Estoril
pág. 86

Mulher do **Serginho Mamberti**, mãe do **Fabrício,** do Duda e do Carlinhos. Moravam todos ali na rua dos Ingleses.

Ela já estava desenganada pela medicina. Ia morrer. Ela sabia. Todo mundo sabia. Não tinha mais pulmão.

Pelo menos uma vez por mês me ligava, de noite.

— Está chovendo. Vamos?

O convite, sempre o mesmo, era para eu ir buscar a Vivien em casa, e ir passear de carro na avenida Paulista ouvindo "Yellow Submarine".

Ficando indo e voltando pela avenida molhada que refletia, no asfalto, todos aqueles prédios. É lindo. Era um prazer.

Antes de morrer, ela mudou o nome para Heart Smile e virou pintora.

Mas foi tudo muito rápido. Partiu num submarino amarelo, sem pulmão, mas com o coração sorrindo.

VOVÓ MARIA, aposentada (Paraíso, 1999)

Nosso caso já tem uns três ou quatro anos. Tudo começou quando ela me mandou uma carta de fã ardorosa das minhas crônicas de quarta-feira e da minha boca de todos os dias. Dizia que os meus lábios eram demais. E mais: que tinha oitenta e poucos anos. Sei quanto ela tem, mas não vou entregar. E mandou, de quebra, umas piadas que eu, aliás, publiquei no *Estadão*.

Ela continuou a me escrever, sempre para a redação. Escreve bem, a danadinha. Aí, me contou que tinha perdido um filho que deveria estar hoje mais ou menos com a minha idade. E que queria me adotar. Primeiro, como filho. Depois, resolveu que eu ia ser neto dela.

Como, na época, eu estava mesmo sem nenhuma avó, aceitei. Há muito que Quita e **Fiica** haviam partido, assustadas com minhas estripulias de adolescente. Não se rejeita uma avó que cai assim, do céu.

Sempre que ela escrevia eu citava, de uma maneira ou outra, no jornal, a palavra mágica "vovó Maria". Era o nosso tácito pacto. Ela sabia, e somente ela entendia, que eu estava no pedaço.

Uma vez me mandou meias de lã. Era inverno. Meias tricotadas por ela. Cinza. Achava que o cano tinha ficado curto, dizia na cartinha. E tinha. Mas eu fiquei na minha. Dormi um bom inverno com as meias dela. Curtas, mas que saíram desse amor dela, que só me envaidece.

Depois deu para bordar lenços com as iniciais MP. Nunca soube se era Mario Prata ou medida provisória. Sim, as medidas das avós são sempre provisórias. As definitivas sempre ficam por conta dos pais. Avó deixa tudo.

Uma época ela sumiu. Meses. Achei que tinha morrido. Fiquei na minha. De repente, chega uma carta, como sempre com a letra firme: *Acharam que eu ia morrer e me deixaram na UTI meses. Olha eu aqui de novo.*

Pois eu andava mesmo pensando na vovó Maria de quem só conheço a letra, mas posso imaginar a música.

Pra parecer mais ainda um conto de fadas, mora em Paraíso, interior de São Paulo, a danadinha. Mas, de vez em quando, manda correspondência de Catanduva, onde mora uma das suas filhas, tia minha, portanto.

Talvez com essa declaração pública, a vovó Maria venha a ralhar comigo e peça para eu não bulir com certas coisas.

V

F **Fiica**
1981
dona-de-casa
Uberaba
pág. 89

Bença, vó!

Já havia escrito este texto, quando recebi essa carta dela:

Não podia deixar de me lembrar de você na Páscoa, pois Páscoa significa vida. Como "Phoenix" ressurgiu das cinzas, você me fez ressurgir para a vida. Passei a sentir a alegria de estar viva, passei a sentir prazer em viver, depois que recebi carinho do meu querido neto Pratinha.

Ainda estou em estado de choque. Nunca esperei, na minha vida, receber tanta atenção de sua parte. Você nunca vai calcular a felicidade que me proporcionou.

Às vezes, ao escrever, eu me extrapolo e ultrapasso os limites; não se zangue comigo. Escrevo o que um velho coração dita e, para as falas do coração não há censura.

Você merecia um chocolate mais fino mas, na minha cidade, foi o que achei de melhor.

Obrigada por ler minhas cartas. Permita que eu continue a escrever-lhe, a mandar-lhe algumas bobagens de vez em quando.

Embrulhei em jornal porque, não sei se você sabe, jornal tem as mesmas qualidades do isopor, é ótimo isolante térmico.

Onde colocou a baianinha? Ao vê-la lembre-se que, diariamente, envio para você muita energia em pensamentos positivos.

Estou com inveja do dono da luneta que é seu vizinho.

Grande carinho tem por você a

Vovó Maria

Estou tricotando meias.

WALMINHO GALVÃO, publicitário (São Paulo, 1999)

Depois de 31 anos casado, ele se separou da Zulmira. Eu fiquei surpreso e ele explicou:

— *Já estavam levando a gente em gincana: trazer um casal casado há mais de 30 anos!*

WALTER ARRUDA, publicitário (Lisboa, 1992)

Ele estava me convencendo a escrever uma minissérie para a televisão portuguesa, em 12 horas. Eu dizendo que talvez com haxixe, quando entra a mulher dele com a cara péssima. Eu sabia que a coisa lá entre eles ia de mal a pior. Fim de caso.

Entrou, me ignorou, abriu a bolsa e tirou um revólver. Apontou para a cabeça dele. Eu estava numa posição que não dava pra fugir. Logo pensei: vai me matar também, pois sou testemunha. Encostei na parede e cheguei mesmo a pensar em Deus e Nossa Senhora de Lourdes.

Ele, lívido, ouvia:

— Não agüento mais! Você sabe que eu fiz o possível! Eu venho tentando, porra! Mas, chega! Não agüento mais! Pensei muito, cara! Vou ter que tomar essa decisão! Sei que vou estragar a minha vida, mas não agüento mais!

Puxou o gatilho, era um isqueiro.

— Vou voltar a fumar!

Y

Hugo H
1969
agrônomo
São Paulo
pág. 101

Hugo H
1992
diretor de cinema
São Paulo
pág. 102

YARA PRATA, dona-de-casa (Matão, 1974)

Minha tia. Tava lá na fazenda dela e do **Hugo**, dando um tempo. Fumava maconha o dia inteiro. Ela, com três filhas entrando na adolescência, me rodeando, fazendo perguntas, querendo saber sobre drogas. Ela tinha 38 anos, linda. Até hoje.

Todo mundo dormindo eu e ela na sala. Eu enrolando um. Ela atenta aos movimentos dos meus dedos.

— *Não dá vontade de se matar, tirar a roupa, fazer uma loucura?*

— Não. É só um relaxante.

— *Sei. Mas sente o quê? Fica doidão?*

— Experimenta.

— *Tá louco, Mario Alberto? Imagina.*

— Pois eu acho que você devia experimentar. Suas filhas, a Patrícia, a Valéria e a Isabela, um dia, vão fumar. Sem falar no **Huguinho**.

— *Imagina. Você acha que elas vão arrumar maconha aqui em Matão?*

— Acho. Tenho certeza. Você puxa a fumaça assim, ó, e segura a respiração.

— *Não engasga?*

— Vai, um tapinha só.

— *E se eu ficar doidona?*

— Fica não.

— *Se eu passar mal, vomitar?*

— Vai.

Ela fumou. Deu umas cinco tragadas.

— *Ai, se o Hugo acorda! E agora, o que que eu faço?*

— Faz nada. Fica na sua.

— *Ficar na minha?*

— É, relaxa.

— *Não estou sentindo nada. Sério, nada.*

Deitou no chão da sala, de costas, olhando fixo para o teto.

— *Uma bobagem isso. Não estou sentindo nada.*

— É assim mesmo. Tá batendo.

— Batendo o que, menino? Mario Alberto, você já notou o teto daqui?

— O que que tem o teto, tia?

— Deita aqui, vem ver. Como é que eu nunca tinha notado isso? Há dez anos que eu moro aqui e nunca tinha notado. Tá vendo?

— O quê?

— Essas ripinhas brancas do teto. São ondas, está percebendo? Ondas do mar. Olha como elas chegam, bonitas. Olha aquela que grandona!

— É...

Silêncio profundo.

— Que que eu tava falando mesmo?

Z

ZIRALDO, artista plástico (Rio, 1987)

Ele tinha uma idéia genial para uma novela:

Duas cidades inimigas, separadas por um rio. Lá em cima vão fazer uma represa e uma das cidades será inundada.

A Globo me chamou para transformar esta frase numa novela, o que foi uma delícia. Eu, o Ziraldo, **Dagomir Marquesi** e o **Reinaldo Moraes** trabalhamos rindo e fizemos uma novela chamada *As Águas Vão Rolar*, que foi aprovada.

Dagomir D
1983
jornalista
São Paulo
pág. 64

Fomos os quatro acertar a grana, lá na Globo. O primeiro a negociar fui eu. Me ofereceram merda. Fui embora e dei um toque para o Ziraldo.

Ofereceram cinco mil dólares para ele, com todos os direitos para a Globo, reprise, venda para o exterior, tudo aquilo. Ele, tranqüilo:

Reinaldo R
1994
escritor
São Paulo
pág. 196

— *Ô, cara, na sua casa tem enciclopédia?*

— Tenho duas!

Ele foi saindo:

— *Duas só? Sou verbete em oito!!!*

E fomos todos para o Antônio's beber com o **Marcos Vasconcellos**, cantando a musiquinha que deveria ser a abertura da novela: as águas vão rolar, garrafa cheia eu não quero ver sobrar!

Marcos M
1985
arquiteto
Rio
pág. 159

ZULEIKA ALVIM, estudante (São Paulo, 1968)

Eu e ela, ali, na rua Paim. Nós dois pulávamos abraçados na sala do meu apartamento. Apartamento que o pai do **Dado** tinha herdado. Naquele tempo, tudo que eu tinha era um sofá-cama branco. E livros. E uma Lettera 22, aquela verdinha.

Dado D
1969
estudante
São Paulo
pág. 63

Tinha dado tudo certo. A pedrada havia acertado a testa do governador Abreu Sodré. Era 1º de maio, Dia do Trabalhador, e nós dois havíamos conspirado para aquela ação.

Agora, ouvindo pelo radinho de pilha, a gente comemorava. Ensangüentado, o governador era retirado da Praça da Sé.

Ela era secretária do Centro Acadêmico (que acabava de ser fechado) da Economia da USP. Eu tinha 22 e ela 26. Na-

Z

M **Mário**
1960
estudante
Lins
pág. 166

morada do **Mário Alberto de Almeida**, também da USP. Mas estavam brigados por razões meramente políticas.

E nós dois ali, abraçados. Aquilo virou um beijo. Começou de alegria e acabou de tesão. Fomos para o quarto e transamos.

Quando acabei, ela se sentou na cama e me disse:

— *Menino, não é assim, não!..*

Confessei para ela ser a primeira vez que transava com uma mulher que não era prostituta.

— *Sabia que mulher goza? Senta aqui, coelhinho.*

E me deu uma aula de como fazer amor. Uma aula extensa, teórica. Me disse coisas sobre a mulher que eu nunca poderia ter imaginado.

Nunca mais fiz amor com ela. Em primeiro lugar, porque eu tinha medo de não ter aprendido direito a lição. E, em segundo, porque ela voltou com o Mario Alberto, com quem viria a se casar e mudar para a Itália.

Acabei de escrever este livro e liguei para ela:

— E aí, casou de novo? Quem é o seu marido?

Ela, rindo muito, aos 57 anos. Está com um japonês que ainda não tinha entrado no livro:

— *Não é meu marido. É meu companheiro!*

E viveram felizes para sempre.

Fim

ÍNDICE CRONOLÓGICO

1818-1968

1969-1973

1969 DADO, SP, **p. 63**
1969 JEFFERSON DEL RYOS, SP, **p. 111**
1969 RICARDO PRATA SOARES, SP, **p. 200**
1969 JOSÉ RUBENS SIQUEIRA, SP, **p. 122**
1969 SÔNIA BRAGA, SP, **p. 221**
1969 HUGO PRATA, SP, **p. 101**
1969 MARIA REGINA, SP, **p. 162**

anos 70

1970 LULU GÓES, Curitiba, **p. 152**
1970 IREDE CARDOSO, SP, **p. 107**
1970 IRENE RAVACHE, SP, **p. 107**
1970 ÍTALA NANDI, RJ, **p. 108**
1970 ABÊ, SP, **p. 17**
1970 HELENY GUARIBA, SP, **p. 97**
1970 SÁBATO MAGALDI, SP, **p. 211**
1970 CRISTINA KOWARICK, SP, **p. 61**
1971 MELCHIADES CUNHA JUNIOR, SP, **p. 174**
1971 LUIZ CARLOS PARANÁ, SP, **p. 150**
1971 JOSÉ LUIZ FRANCHINI RIBEIRO, SP, **p. 116**
1971 SUZANINHA DE TAL, SP, **p. 223**
1971 TOQUINHO, SP, **p. 233**
1971 LEONEL PRATA, SP, **p. 142**
1971 MADALENA PRATA SOARES, SP, **p. 153**
1971 LEILAH ASSUMPÇÃO, SP, **p. 139**
1972 LEILA DINIZ, RJ, **p. 139**
1972 ERIC NEPOMUCENO, RJ, **p. 83**
1972 MARIA AMÉLIA CESÁRIO ALVIM BUARQUE DE HOLLANDA, SP, **p. 159**
1972 GRANDE OTELO, RJ, **p. 94**
1972 JOANA FOMM, SP, **p. 112**
1972 SAMIR CURI MESERANI, SP, **p. 211**
1972 VINÍCIUS DE MORAES, SP, **p. 237**
1973 JOSÉ MÁRCIO PENIDO, RJ, **p. 118**
1973 ADERBAL FREIRE-FILHO, RJ, **p. 20**
1973 CAMILA AMADO, RJ, **p. 48**
1973 MIÚCHA, RJ, **p. 178**
1973 BEBEL GILBERTO,RJ, **p. 35**
1973 MARIA HELENA AMARAL, SP, **p. 161**
1973 LEDUSCHA, RJ, **p. 138**
1973 SILVINHA BUARQUE, RJ, **p. 219**
1973 PAULINHO PONTES, RJ, **p. 185**

1973-1982

1973 RUBEM FONSECA, RJ, **p. 207**
1974 MARÍLIA GABRIELA, Matão, **p. 163**
1974 CORONEL PAES, SP, **p. 59**
1974 MARTA GÓES, Araraquara, **p. 168**
1974 ANTÔNIO ABUJAMRA, SP, **p. 29**
1974 ÊNIO GONÇALVES, SP, **p. 82**
1974 SERGINHO MAMBERTI, SP, **p. 214**
1974 NELSINHO MOTTA MELLO, SP, **p. 180**
1974 PINK WAINER, SP, **p. 191**
1974 YARA PRATA, Matão, **p. 242**
1974 JULINHO DA ADELAIDE, SP, **p. 124**
1975 LOLÔ, RJ, **p. 144**
1975 LUCÉLIA SANTOS, RJ, **p. 146**
1976 BIBI FERREIRA, RJ, **p. 37**
1976 BORJALO, RJ, **p. 42**
1976 CELSO CURY, RJ, **p. 54**
1977 HUGO CARVANA, RJ, **p. 100**
1978 BONI, RJ, **p. 40**
1978 GUTÃO (JOSÉ AUGUSTO BEOZZO), Munique, **p. 95**
1978 JOÃO BOSCO, Santo André, **p. 113**
1978 VIVIEN MAHR, SP, **p. 238**
1979 LUIZ CARLOS CABRAL, SP, **p. 149**
1979 HENFIL, Lins, **p. 98**

anos 80

1980 ANTÔNIO CÂNDIDO, SP, **p. 29**
1980 CAETANO VELOSO, RJ, **p. 45**
1980 SÉRGIO ANTUNES, RJ-SP, **p. 214**
1980 RUBEM BRAGA, SP, **p. 206**
1980 SAMUEL WAINER, SP, **p. 212**
1980 TARSO DE CASTRO, jornalista, RJ, **p. 226**
1981 AIRTON SOARES, SP, **p. 22**
1981 ANTÔNIO MASCHIO, SP, **p. 31**
1981 FIÍCA CUNHA CAMPOS DE MORAES E CASTRO, Uberaba, **p. 89**
1981 LAURO CESAR MUNIZ, SP, **p. 137**
1981 LOLI, SP, **p. 144**
1981 JOSÉ DE ANCHIETA, SP, **p. 115**
1982 ROBERTO LAGE, SP, **p. 203**
1982 MARIA LYDIA PIRES DE ALBUQUERQUE, SP, **p. 161**
1982 MAITÊ PROENÇA, SP, **p. 155**
1982 ELISA GOMES, SP, **p. 81**

1982-1990

anos 90

1997-1999

IMPRESSÃO E ACABAMENTO

HAMBURG
DONNELLEY
GRÁFICA EDITORA

Rua Epiacaba, 90 Vila Arapuá
04257-170 São Paulo SP
Tel (011) 6946 0233
Fax (011) 6948 1555
hamburg@uol.com.br

FOTOLITOS FORNECIDOS PELO EDITOR